KB105015

중국, 넌 어떻게 생각해?
: 중국인 인식 개선 프로젝트
你如何看待中国？——改变对中国人的看法

중국, 넌 어떻게 생각해?: 중국인 인식 개선 프로젝트
你如何看待中国？—改变对中国人的看法

지은이 김다희, 윤태민, 최하늘

발　행　2024년 1월 4일
펴낸이　한건희
펴낸곳　주식회사 부크크
출판사등록　2014.07.15.(제2014-16호)
주　소　서울특별시 금천구 가산디지털1로 119 SK트윈타워 A동 305호
전　화　1670-8316
이메일　info@bookk.co.kr

ISBN　979-11-410-6408-2

www.bookk.co.kr

중국, 넌 어떻게 생각해?

: 중국인 인식 개선 프로젝트

你如何看待中国？—改变对中国人的看法

김다희
윤태민
최하늘

BOOKK

차례 目录

한국에서 살아가는 중국인들에게, 그리고 한국인들에게
献给在韩国生活的中国人和韩国人

안녕하세요, 저희는 가천대학교 동양어문학과 김다희, 윤태민, 그리고 최하늘입니다.
大家好，我们是嘉泉大学中文系的学生：金多熙，尹太民，崔荷娜。
대한민국을 잠시라도 거쳐 간 중국인들이 더 친절한 한국인들을 마주하길 바라며 이 책을 준비했습니다.
为了在韩生活的中国人能够遇到更亲切的韩国人，我们编写了这本书。
이 책은 한국인들의 중국인 인식에 대한 설문조사, 중국인들의 인터뷰, 그리고 중국인 차별 반대 캠페인을 중심으로 구성되어 있습니다.
这本书由几部分组成，分别是以韩国人对中国人认识的问卷调查、中国人的采访以及反对歧视中国人的活动。
책을 읽으신 분들 중 단 한 분이라도 "중국인 차별에 반대하겠다"라는 생각이 드신다면 저희는 정말 행복할 것 같습니다.
通过阅读此书，如果读者产生"反对歧视中国人"的想法，我们会感到非常欣慰。

재미있게, 그러나 현재 대한민국의 중국인 차별 문제를 인식하며 읽어주시길 바랍니다.
希望大家在阅读此书的同时，还能意识到目前中国人在韩国遭受其实的问题。
감사합니다.
非常感谢大家。

'모든 중국인과 한국인들이 차별받지 않는 세상을 위해'
"为了一个所有中国人和韩国人都不受到歧视的世界"

'중국혐오'를 인식하다
认识到"厌恶中国"

"중국인"이라는 단어만큼이나 많이 들어본 말이 "짱깨"였습니다. 이러한 저희의 상황과 대다수 한국인의 경험이 크게 다르지 않을 것이라고 생각합니다.

就像"中国人"这个单词一样，经常听到的话就是"掌柜"。相信大部分人都和我一样你，听到"中国人"，就会想到"掌柜"这个单词。

"한국에서 중국인이 겪는 어려움"이라는 주제를 들었을 때, 우리 세 사람은 공통적으로 한 가지 생각을 갖고 있었습니다. 그것은 "중국인에 대한 차별과 혐오 정서가 우리 사회에 만연하다"는 인식이었습니다.

当我们得知我们的主题是"中国人在韩国遇到的困难困难"的时候，我们三个人同时想到的就是韩国人对中国人的歧视和厌恶情绪正在我们的社会中蔓延。

저희가 이러한 생각을 하게 된 데에는 많은 이유가 있습니다. 위에서 언급한 "짱깨"라는 표현 역시 이 원인에 해당됩니다.

原因, 其中就包括上面提到的"掌柜"这种说法。

첫 번째, 우리는 주변인들로부터 중국인을 혐오하는 이야기를 쉽게 들을 수 있습니다. 만약 학생이라면, 학교의 중국인 유학생에 대한 안 좋은 이야기를 할 수 있습니다. "우리 학교 중국인들은 다 시끄러워"라든지, "너무 더러워" 같은 이야기를 듣기도 합니다. 이러한 이야기는 대부분 중국인에 대한 잘못된 고정관념과 편견으로 인해 이미 형성된 부정적인 이미지에서 비롯되는 경우가 많습니다.

第一, 我们很容易从周围的人那里听到厌恶中国人的故事。如果那个人是学生, 可能会提到关于自己学校中国学生的一些不好的事情。例如, "我们学校的中国人都很吵"、"太脏了"等。这些话大多源于对中国人的错误刻板印象和偏见。

두 번째, 온라인에서 중국 혐오 콘텐츠를 쉽게 볼 수 있습니다. 최근 '칭따오 맥주' 공장의 비위생적인 모습이 화제가 되었을 때도 뉴스기사의 댓글에서 중국 혐오 감정을 숨기지 않는 사람들을 흔하게 볼 수 있었습니다.

第二, 在网上我们经常看到厌恶中国产品的相关内容。最近"青岛啤酒工厂不卫生"成为热门话题的同时, 在新闻报道的留言中也有很多人表达自己厌恶中国的情绪。

또한, 중국인의 인터뷰 영상이 인스타그램에 올라온 적이 있는데, 이 동영상 댓글 중에서 “이 사람이 하는 중국어는 시끄럽지 않아서 좋다”는 댓글이 많은 사람들의 공감을 받았습니다. 이러한 현상을 통해 우리는 “중국인은 모두 시끄럽다”, “중국어는 듣기 싫다” 같은 차별적인 생각이 이미 우리 사회에 널리 퍼져있음을 알 수 있었습니다.

还有在Instagram上上传的对中国人的采访视频下方，有人留言道：“中文不吵，而且很好听”，这些留言得到了众多网友的共鸣。通过这些现象，我们可以看出，“中国人都很吵”、“不想听中文”等歧视性的想法已经在韩国社会中广泛扩散。

세 번째, 학교에도 중국인 혐오는 존재합니다. 학교 커뮤니티 사이트 ‘에브리타임’에서 중국인을 혐오하는 글과 댓글을 쉽게 찾아볼 수 있습니다. 중국과 관련한 대부분의 글과 댓글은 교내 중국인 유학생을 혐오하고 비하하는 내용입니다.

第三，在学校也存在厌恶中国人的现象。在学校社群网站“Everytime”上，可以找到厌恶中国人的帖子和留言。大部分关于中国的帖子和留言都是厌恶和诋抑校内中国留学生的内容。

우리는 위에서 언급한 세 가지 종류의 이유를 통해 우리 사회의 중국인 차별과 혐오 문제가 심각하다는 사실을 인지하게 되었습니다. 따라서 '중국인 인식 개선 프로젝트'를 진행하여 중국인에 대한 차별 없는 사회를 만들기 위해 노력하고자 합니다.

我们三个人从以上提到的三种原因中认识到，韩国社会对中国人的歧视和厌恶问题非常严重。因此，我们将开展"改善中国人认识项目"，努力创建一个对中国人没有歧视的社会。

저희가 진행한 '중국인 인식 개선 프로젝트'의 내용, 즉 앞으로 전개될 책의 내용은 다음과 같습니다. 대한민국의 중국인 혐오 사례, 한국인의 중국인 인식 설문조사, 한국의 반중 감정 원인과 배경, 한국에서 생활하고 있는 중국인 인터뷰, 한국과 중국의 관계, 마지막으로 중국인 차별 반대 캠페인 진행으로 프로젝트를 마무리하겠습니다.

我们进行的"中国人认识改善项目"的内容，即此书的具体内容如下：韩国人厌恶中国人的实例，关于韩国人对中国人的认识的问卷调查，韩国反华情绪的原因和背景，对在韩中国人的采访，韩国和中国的关系，以及反对歧视中国人的活动。

한국인은 중국인을 혐오한다?
韩国人讨厌中国人？

“한국인은 중국인을 혐오한다.” 이 문장에 동의하지 못하시는 분들도 충분히 많을 것이라고 생각합니다. 그래서 저희는 일상생활 속 만연하고, 빈번하게 일어나는 반중과 혐중 사례들을 알려드리고자 합니다.

″韩国人讨厌中国人?″ 我们认为肯定有很多人不同意这句话. 所以我们想告诉大家日常生活中蔓延、频繁发生的反华、厌华事例。

“짱깨”, “짱꼴라”, “바퀴국”, “중국인은 미개하다”, “착짱죽짱(착한 짱깨는 죽은 짱깨)”, “인간 황사”라는 말을 들어보셨나요? 아마 대한민국에 살고 계시는 한국인 분들이라면 대부분 알고 계시는 단어일 것이라 생각합니다.

你们听说过“掌柜”、“清国奴”、“蟑螂国家”、“中国人是愚昧”、“好掌柜都是掌柜(中国人都不好)”、“人间黄沙” 这个词吗?我们认为,如果是在韩国生活的韩国人,大部分都会知道这个词。

이러한 중국인 혐오와 비하 표현은 인터넷 뉴스, 유튜브 댓글, 대학교 커뮤니티 사이트 '에브리타임' 등 다양한 인터넷 플랫폼에서 매우 쉽게 찾아볼 수 있습니다.

这种厌恶、贬低中国人的表达方式在网络新闻、YouTube留言、大学社区网站 "Every Time" 等多种网络平台上随处可见。

위에서 말한 중국인 혐오와 비하 단어들 이외에도 일상생활 속에서 중국과 중국인 비하를 하는 것도 매우 쉽게 볼 수 있습니다.

除了上面说的贬低、中国人的词语外，日常生活中还有很多贬低中国、及中国人的事迹。

1. 인터넷 뉴스 댓글 网络新闻上的留言

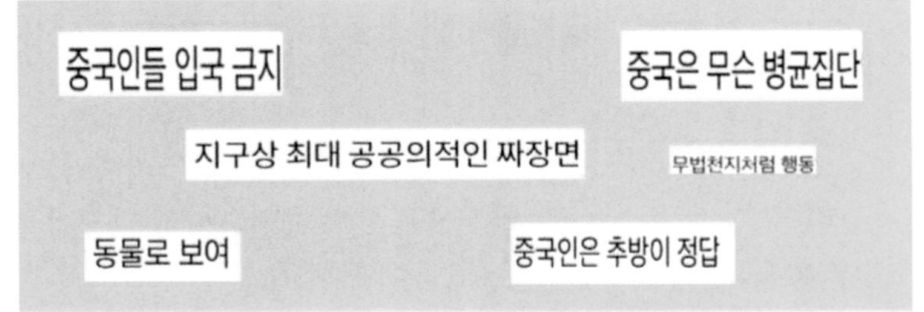

출처 : 매일경제, KBS 인터넷 뉴스 댓글
出处 ： 每日经济, , KBS 网络新闻上的留言

2. 대학교 커뮤니티 '에브리타임' 大学社区网站 "Every Time"

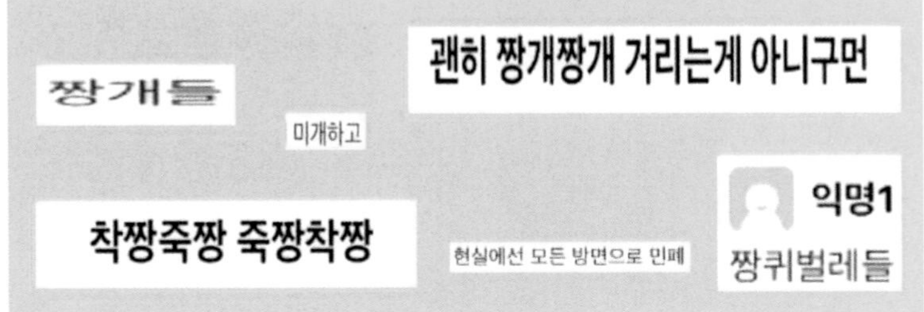

출처 : 대학교 '에브리타임' 出处 ：大学 'Every Time'

더불어 '중국'이란 국가 자체에 대해서도 한국인들은 매우 비우호적인 인식을 갖고 있습니다. 그 근거는 밑에 제시될 설문조사 결과를 통해서 쉽게 알 수 있습니다.

另外, 根据以下问卷调查资料可知, 韩国人对于"中国"本身也持有非常不友好的观念。

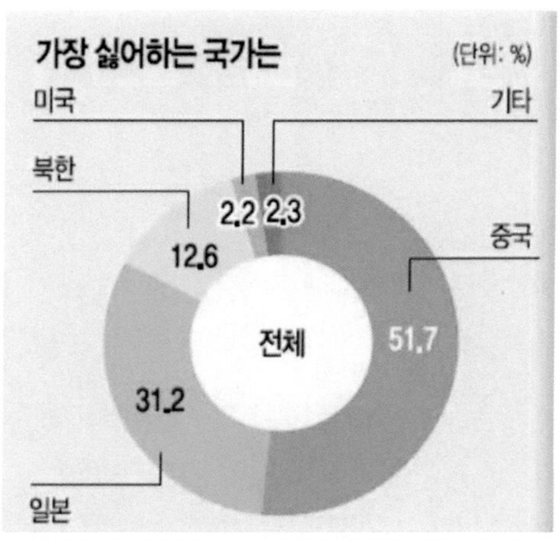

[그림 1] 한국인이 싫어하는 국가 순위
[图 1] 韩国人讨厌的国家排名

(出处 : 2021年6月国民日报委托全球调查舆论调查结果)

图表解说"韩国人讨厌的国家排名" : 中国(51.7%), 日本(31.2%), 北韩(12.6%), 美国(2.2%), 其余(2.3%)。这就是说，韩国最不喜欢的国家是中国。

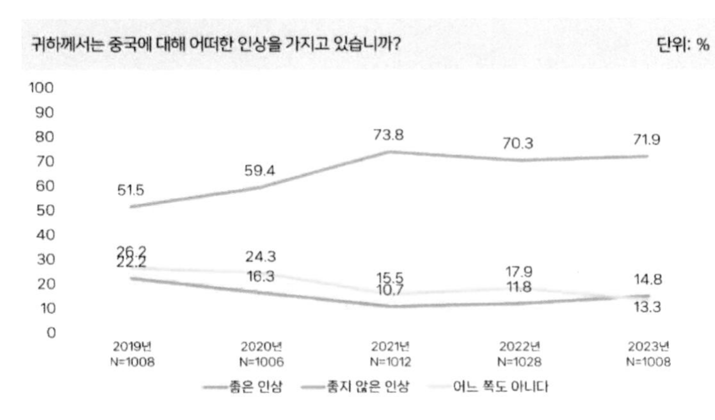

[그림 2] 중국에 대한 인상(2019년~2023년)
[图 2] 韩国人对中国的印象(2019年~2023年)

(출처 : EAI 동아시아연구원 出处 : EAI 东亚研究院)

图表解说:以2023年为准,(71.9%)的人对中国人的印象不好,(13.8%)的人回答"不好也不讨厌",(14.8%)的人回答"印象好"。这就是说，韩国人对中国印象大多不好。

이렇듯 우리가 살아가고 있는 사회, 일상생활 속에서 반중과 혐중 현상이 만연하고, 빈번하게 일어나고 있습니다.

如上所述, 我们可以看出在我们的社会和日常生活中, 反华、厌华现象正在频繁发生。

혹시 나도 모르게, 의도치 않게 일상생활 속에서 반중과 혐중 표현을 사용하고 있지는 않으신가요?
您在日常生活中是否会在无意识的情况下使用反华、厌华表达呢？

우리가 무심코 뱉은 말 하나가 중국인들에게는 큰 상처와 차별, 더 나아가 폭력이 될 수 있습니다.
我们无意中说出的话， 对中国人来说可能是歧视自己的表现会产生很大的伤害，进而可能造成语言暴力。

그렇다면 과연 한국인이 중국인을 정말로 혐오하는가를 실제로 알아보기 위해서 저희는 하나의 설문조사를 실시하기로 결정했습니다. 설문조사는 "한국인의 중국인 인식"이라는 제목으로 실시되었으며, 2023년 12월 1일부터 12월 4일까지 총 4일간 113명의 응답을 받았습니다.
为了实际了解韩国人是否真的讨厌中国人，我们决定进行一项问卷调查。问卷调查以"韩国人对中国人的认识"为题进行。2023年12月1日至12月4日4天内，共收到113人的回复。

설문조사의 내용은 다음과 같습니다.
调查内容包括：

[그림 1] '한국인의 중국인 인식' 설문조사
"韩国人对中国人的认识" 问卷调查

1. 성별 性别

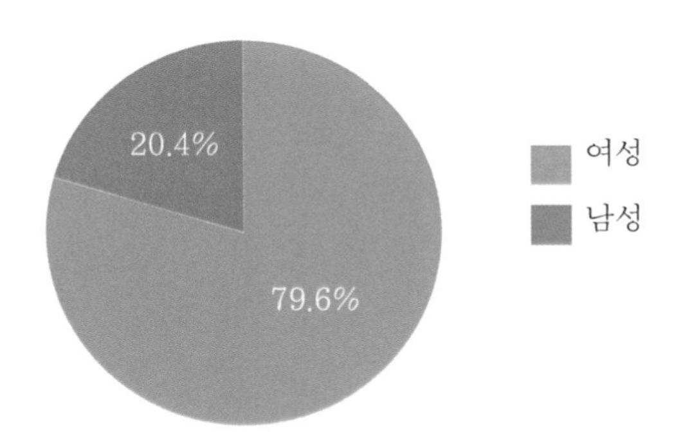

설문에 참여한 113명 중 여성은 90명(79.6%), 남성은 23명(20.4%)이었습니다.

参加调查的113人中，女性90人(79.6%)，男性23人(20.4%)。

2. 연령대 年龄段

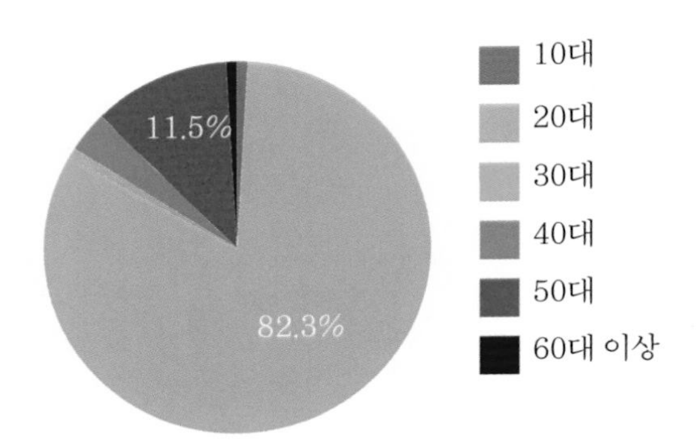

설문에 참여한 113명 중 20대는 93명(82.3%)으로 가장 많았습니다. 다음으로는 50대가 13명(11.5%)으로 많았고, 40대 4명(3.5%), 30대 1명(0.9%), 10대 1명(0.9%), 60대 이상 1명(0.9%)으로 나타났습니다.

参加调查的113人中，20多岁的人最多，有93人(82.3%)。其次，50多岁的人有13人(11.5%)，40多岁的人有4人(3.5%)，30多岁的人有1人(0.9%)，10多岁的人有1人(0.9%)，60岁以上的人有1人(0.9%)。

3. 거주 지역 居住地区

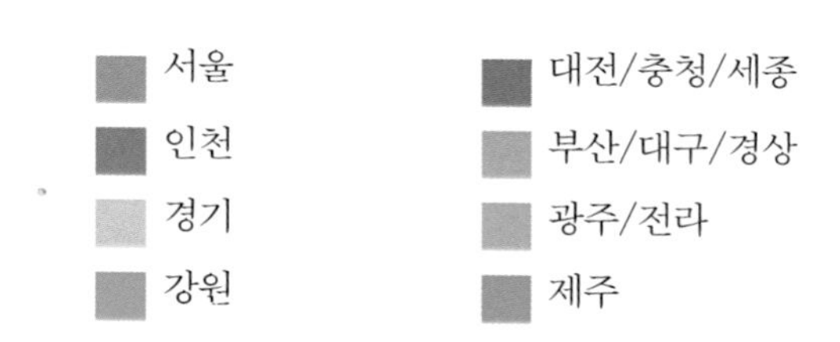

거주 지역은 다음과 같습니다. 경기도 52명(46%), 인천 23명(20.4%), 서울 19명(16.8%), 광주/전라 6명(5.3%), 부산/대구/경상 5명(4.4%), 대전/충청/세종 6명(5.3%), 강원도 2명(1.8%)으로 총 113명입니다.

居住区域包括：京畿道52人(46%)，仁川23人(20.4%)，首尔19人(16.8%)，光州/全罗道6人(5.3%)，釜山/大邱/庆尚道5人(4.4%)，大田/忠清道/世宗6人(5.3%)，江原道2人(1.8%)，共113人。

4. 중국인에 대한 기본 감정 对中国人的印象

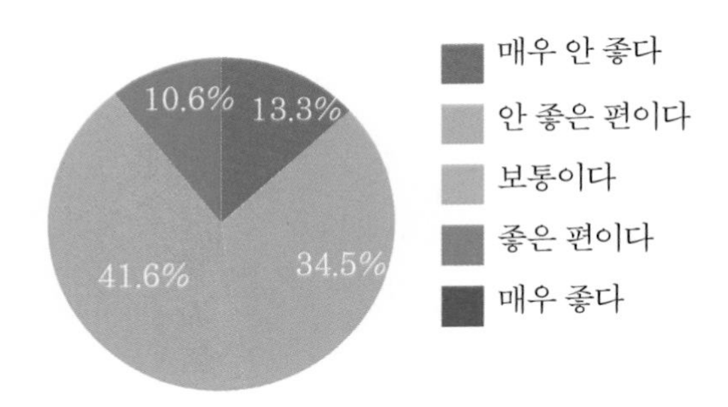

중국인에 대한 기본 감정으로 가장 높게 나타난 것은 "안 좋은 편이다(39명, 34.5%)"와 "매우 안 좋다(15명, 13.3%)"를 포함하는 부정적인 감정입니다. 다음으로는 47명(41.6%)이 선택한 ″보통이다″가 많았고, ″좋은 편이다″는 13명(10.6%)이 선택했습니다. "매우 좋다"를 선택한 사람은 없었습니다.

关于对中国人的感情，表现得最多的是负面情绪，包括"比较不好(39人，34.5%)"和"非常不好(15명， 13.3%)"。其次是"一般(47人，41.6%)"，最后是"比较好(13人，10.6%)"。没有人选择"非常好"。

4-1. 중국인에 대한 감정이 좋다면 그 이유는 무엇인가요?
如果你对中国人的印象很好，原因是什么？

이 질문에 대한 응답은 자유 입력 형태로 조사했습니다. 3번 질문에서 "좋은 편이다"와 "매우 좋다"를 선택한 총 13명이 응답했습니다. 중국의 문화콘텐츠를 선호하거나 중국인과의 교류를 통해 중국인에 대해 긍정적인 감정을 갖게 되었다는 의견이 대다수였고, 중국 여행지를 선호하기 때문이라는 의견이 있었습니다.

关于这个问题，韩国人以自由问答的形式进行了调查。在第3个问题中，选择“比较好”和“非常好”的共13人。大部分认为，喜欢中国的文化产品或通过与中国人的交流，形成了对中国人的积极感情。还有人说是因为喜欢中国的旅游景点。

4-2. 중국인에 대한 감정이 좋지 않다면 그 이유는 무엇인가요?
如果你对中国人的感情不好，原因是什么？

이 질문에 대한 응답은 자유 입력 형태로 조사했습니다. 3번 질문에서 "좋지 않은 편이다"와 "매우 좋지 않다"를 선택한 66명을 대상으로 진행됐습니다. 이 중에서 답변을 쓰지 않은 2명을 제외한 총 64개의 응답을 받았습니다. 응답은 크게 정치문제, 미디어와 주위의 영향, 일상에서의 경험, 군사적 문제, 코로나 관련 문제의 다섯 가지로 나눌 수 있었습니다.

关于这个问题，韩国人以自由问答的形式进行了调查。在第3个问题中，选择"比较不好"和"非常不好"的有66人。其中，除2人没有回复外，共收到64个回复。回复大致分为五类： 政治问题，媒体和周围的影响，日常经验，军事问题，新冠疫情问题。

정치문제에서, 많은 사람들이 동북공정, 중화사상 및 '하나의 중국', 정치사상과 역사 왜곡 문제를 꼽았습니다. 미디어에 묘사된 중국인의 모습과 주변에서 들은 경험들이 중국인의 이미지를 형성했다는 의견도 있습니다. 수업 시간이나 공공장소에서 과하게 시끄럽거나 비위생적이기 때문에 부정적인 감정이 생겼다는 의견도 있었습니다. 군사적 문제와 코로나바이러스가 원인이 되는 경우도 있었습니다.

在政治问题方面，很多人提出了东北工程、中华思想以及"一个中国"、政治思想、歪曲历史等问题。也有人认为，媒体上描述的中国人的行动方式和周围听到的经验影响了韩国人对中国人的印象。也有在生活方面，在上课时间或公共场所太吵或不卫生，于是形成了负面情绪。此外,还有军事问题和新冠肺炎的原因。

5. 중국인이 많이 거주하고 있는 인천, 대림, 영등포, 수원 등에 대해 어떻게 생각하나요?
你对很多中国人居住的仁川、大林、永登浦、水原等地方有什么看法?

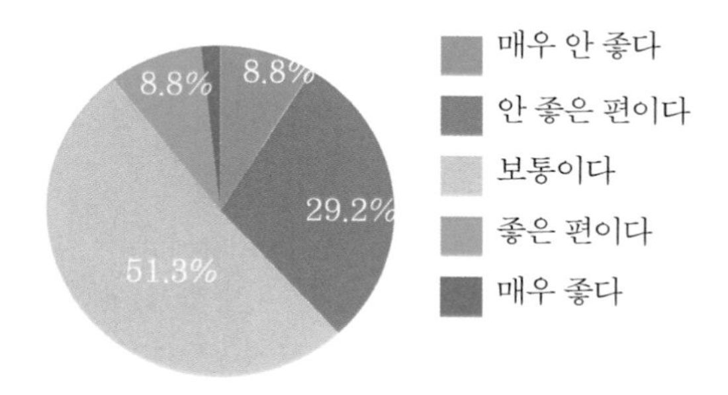

58명(51.3%)의 과반수가 "보통이다"를 선택했습니다. 다음으로 "안 좋은 편이다." 33명(29.2%), "매우 안 좋다." 10명(8.8%)으로 총 43명(38%)이 부정적인 의견을 보였습니다. "좋은 편이다"는 10명(8.8%), "매우 안 좋다"는 2명(1.8%)으로 나타났습니다.

过半数的58人(51.3%)选择了"一般"。其次是33人(29.2%)选择了"比较不好", 10人(8.8%)选择了"非常不好", 共43人(38%)表示持有否定看法。10人(8.8%)选择了"比较好", 2人(1.8%)选择了"非常好"。

5-1. 중국인 다수 거주 지역에 대한 인식이 좋지 않다면 그 이유는 무엇인가요?
如果你对多数中国人居住的地区看法不好，原因是什么？

이 질문에 대한 응답은 자유 입력 형태로 조사했습니다. 4번 질문에서 "좋지 않은 편이다"와 "매우 좋지 않다"를 선택한 43명을 대상으로 진행됐습니다. 범죄와 치안 문제를 원인으로 뽑은 사람이 가장 많았고, 위생 문제가 그다음이었습니다. 기타 의견으로는 소음 문제와 중국인에 대한 부정적인 인식 등이 있습니다.

关于这个问题，韩国人以自由问答的形式进行了调查。在第4个问题中，选择"比较不好"和"非常不好"的有43人。以犯罪和治安问题为原因的人最多，其次是卫生问题。此外，还有噪音问题、对中国人的负面认识等。

6. 중국인과의 교류 경험이 있거나, 중국인과의 교류 프로그램에 참여할 의향이 있나요?
有与中国人交流的经验，或者有意向参加与中国人的交流项目吗？

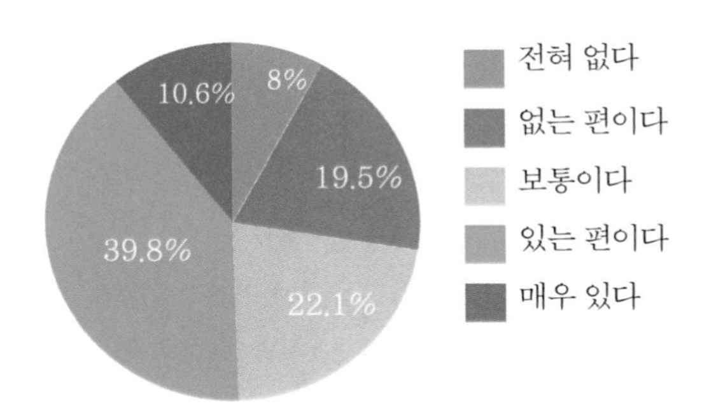

45명(39.8%)이 "있는 편이다", 12명(10.6%)이 "매우 있다"로 총 57명(41.4%)이 중국인과의 교류에 긍정적인 반응을 보였습니다. "없는 편이다"는 22명(19.5%), "전혀 없다"라는 9명(8%)으로 중국인과의 교류에 부정적인 반응을 보인 사람은 총 31명(27.5%)으로 나타났습니다. 25명(22.1%)의 사람들은 "보통이다"를 선택했습니다.

45人(39.8%)选择"有意向"，12人(10.6%)选择"意向强烈"，共57人(41.4%)对与中国人的交流表示肯定态度。22人(19.5%)选择了"没有意向"，9人(8%)选择了"完全没有"，对与中国人的交流持否定态度的人共31人(27.5%)。25人(22.1%)选择了"一般"。

6-1. 중국인과의 교류 프로그램에 부정적이라면 그 이유는 무엇인가요?
如果你对与中国人的交流项目持否定看法，原因是什么？

이 질문에 대한 응답은 자유 입력 형태로 조사했습니다. 5번 질문에서 "없는 편이다"와 "전혀 없다"를 선택한 31명을 대상으로 진행됐습니다. 중국인에 대한 편견과 부정적인 인식 때문에 교류 프로그램에 참가하고 싶지 않다는 의견이 가장 많았습니다. 이 밖에도 언어가 다름에서 오는 의사소통의 문제와 필요성을 느끼지 못하는 등의 의견이 있었습니다.

关于这个问题，韩国人以自由问答的形式进行了调查。在第5个问题中，选择"没有"和"完全没有"的43人认为因为对中国人的偏见和负面认识，很多人不想参加交流项目。此外，还有语言不通的沟通问题、感觉不到必要性等。

7. 한국에 중국인에 대한 차별이 존재한다고 생각하나요?
你认为在韩国存在对中国人的歧视吗？

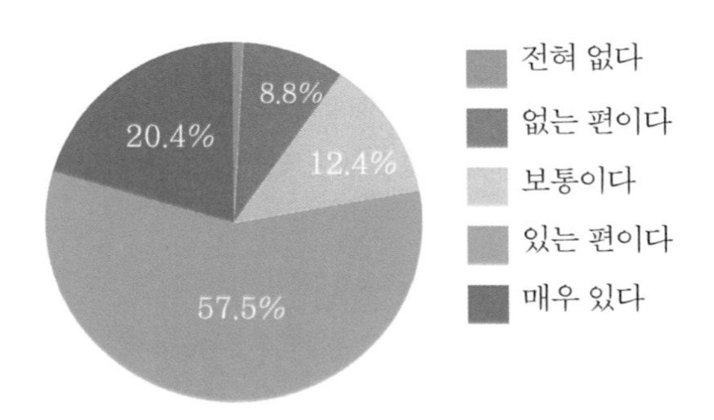

65명(57.5%)이 "있는 편이다", 23명(20.4%)이 "매우 있다"로 총 88명(77.9%)이 한국에 중국인에 대한 차별이 존재한다는 의견을 나타냈습니다. "보통이다"는 14명(12.4%), "없는 편이다"는 10명(8.8%), "전혀 없다"는 1명(0.9%)으로 조사되었습니다.

65人(57.5%)"有", 23人(20.4%)"非常多", 共88人(77.9%)表示在韩国存在对中国人的歧视。据调查, 14人(12.4%)选择了"一般", 10人(8.8%)选择了"没有", 1人(0.9%)选择了"完全没有"。

8. 일상생활에서 중국 혐오 표현을 사용하고 있거나 알고 있나요?
在生活中，你会使用或你知道厌恶中国的表达方式吗？

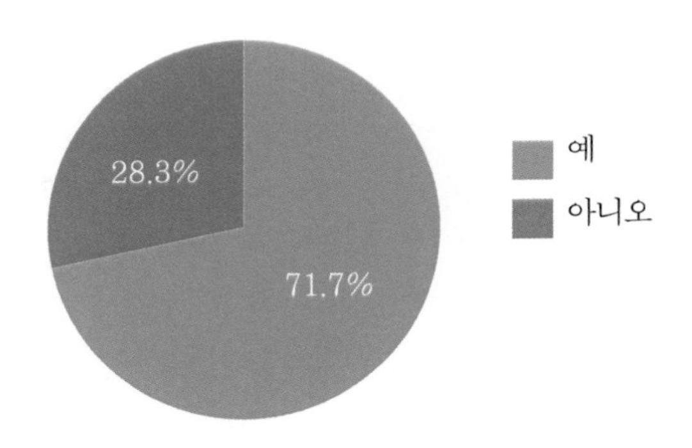

81명(71.7%)이 "그렇다"라고 답했고, 32명(28.3%)이 "그렇지 않다"라고 응답했습니다.

81人(71.7%)选择了"是"，32人(28.3%)选择了"不是"。

8-1. 일상생활 속에서 중국 혐오 표현을 사용하고 있거나 알고 있다면 그 예시는 무엇인가요?
如果你在生活中使用或知道厌恶中国的表达方式，请举例说明。

이 질문에 대한 응답은 자유 입력 형태로 조사했습니다. 5번 질문에서 "그렇다"를 선택한 81명을 대상으로 진행됐습니다. 모든 사람이 중국인에 대한 혐오 표현으로 "짱깨"라는 표현을 응답했습니다. 이 표현과 관련해서 "착한 짱깨는 죽은 짱깨(착짱죽짱)"라는 말도 생겨났습니다. 이외에도 "짱꼴라", "칭챙총", "중국이 중국했다" 등 중국에게 모욕적인 표현을 확인할 수 있었습니다.

关于这个问题，韩国人以自由问答的形式进行了调查。在第7个问题中，选择"是"的有81人。所有人的答案都提到了"掌柜"这个单词。关于这个说法，也有"好掌柜都是掌柜"的说法，中国人都不好。此外，还有"清国奴"，"ching-chang-chong"和"中国人有中国人自己的方式"等侮辱中国的表现。

9. 당신은 중국인 차별 해결 캠페인에 참여하여 중국인에 대한 부정적인 고정관념을 탈피할 의향이 있으신가요?
你愿意参加解决中国人歧视的活动，摆脱对中国人的负面刻板印象吗？

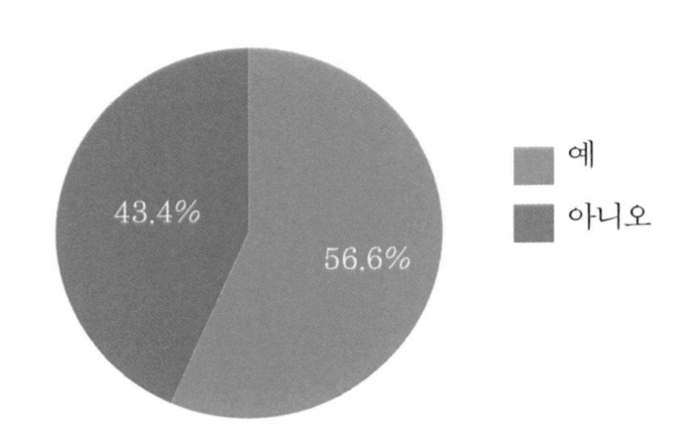

비록 49명(43.4)의 사람들이 "아니오"로 응답했으나, 과반수인 64명(56.6%)이 중국인에 대한 부정적인 편견을 벗어나는 것에 긍정적으로 응답했습니다.

虽然49人(43.4%)回答"不愿意"，但过半数的64人(56.6%)对摆脱中国人的负面刻板印象持肯定态度。

저희는 이 절반이 넘는 긍정적인 응답에 희망을 가지고, "중국인에 대한 차별이 없어지도록 노력하자"라는 프로젝트를 진행하게 되었습니다.

做出积极回答的参与者超过半数，我们对这些参与者寄予厚望，并开展了"努力消除对中国人歧视"的项目。

‘반중’ 그리고 ‘혐중’, 어디서 시작되었는가
“反华，厌华”，从何说起？

반중 감정이 강한 이유는 다양하고 개인의 경험, 사회적인 변화, 정치적인 요인 등이 이에 영향을 미칠 수 있습니다. 따라서 이러한 감정의 깊이는 각 개인과 상황에 따라 달라질 수 있습니다.

反中情绪高涨的原因多种多样，个人经历、社会变化、政治因素等都会对其产生影响。根据个体和具体情况，引起这种情绪变强的原因也有所不同。

1. 역사적인 사건 历史事件

특정 역사적인 사건이나 충돌은 각종 감정을 형성하는데 영향을 미칠 수 있어 역사적인 갈등, 전쟁, 침략 등은 국민의 감정을 형성하는 중요한 요소가 될 수 있습니다. 예를 들면 동북공정 등이 이에 해당합니다.

在形成各种情感的过程中，特定的历史事件或冲突会产生影响。因此，历史矛盾、战争、侵略等都可能成为形成国民情感的重要因素。例如东北工程等。

2. 정치적인 요인 政治因素

국내외의 정치적인 사건은 국민들의 감정에 영향을 줄 수 있습니다. 또한 정부 차원에서 반중 감정을 드러낼 때도 있고 중국의 '한한령' 등으로 정치적인 갈등이 생겨날 수도 있습니다.

国内外的政治事件也会对国民情感产生影响。有时候，政府层面也会激发反中情绪。中国的限韩令等引发了政治层面的冲突。

3. 미디어의 요인 媒体因素

미디어는 감정을 형성하는데 큰 역할을 하기 때문에, 보도 방식이나 강조하는 내용에 따라 국민들의 감정이 크게 영향을 받을 수 있습니다.

媒体在形成情感的过程中发挥着巨大的作用。因此，国民的情感很大程度上会收到报道方式或媒体所强调的内容的影响。

4. 교육과 가치관 教育和价值观

교육체계와 가치관의 차이도 반중 감정에 영향을 미칠 수 있습니다. 교육을 통해 얻은 가치관이나 세계관은 각 개인의 태도와 감정을 형성하는데 영향을 미칩니다.

教育体系和价值观的差异也会对反中情绪产生影响。通过教育而获得的价值观或世界观在形成个人态度和情感过程中发挥着重要影响。

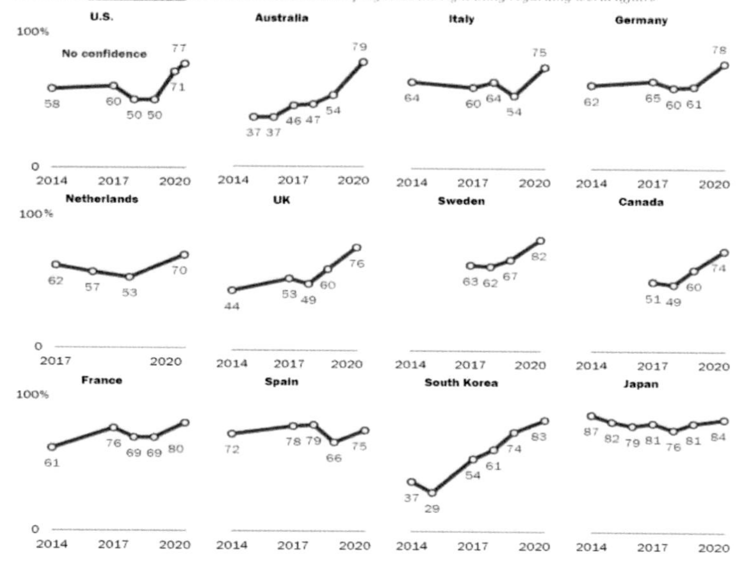

[그림 3] 시진핑에 대한 여론 그래프 关于习近平的舆论图表

[图 3] 关于习近平的舆论图表

1)현재 중국 주석인 시진핑에 대한 각국의 여론을 살펴보면, 우리나라는 유일하게 시진핑에 대한 호감도가 높은 편이었다가 매우 낮게 바뀐 나라입니다. 그 이유로는 코로나 바이러스와 중국 정부의 꾸준한 한한령으로 인한 것으로 추측됩니다.

1) Unfavorable Views of China Reach Historic Highs in Many Countries, Pew Research Center, 2020.10.06

纵观各国对当前中国国家主席习近平的舆论，韩国是唯一一个对习近平抱有较高好感度的国家，也是后来好感度变得非常低的国家。究其原因，可以推测为中国持续的限韩令和新冠疫情。

그러나 반중과 혐중의 차이는 매우 크기 때문에 이를 구분 짓는 것이 중요합니다. '반중'은 사상이자 정치 외교적인 지향점으로, 민주주의 국가에서는 개인적인 사상으로 충분히 내세울 수 있습니다. 그에 반해 '혐중'은 사상 자체를 넘어 인권을 침해하는 잘못된 사고라고 설명할 수 있습니다.

但是，反中和厌中有着巨大的差异。因此，对二者进行区分就显得尤为重要。反中是一种思想，是政治外交的落脚点。在民主主义国家，其完全可以作为个人思想进行宣传。与之相反，厌中则超越了思想本身，是一种厌恶人权的错误思维。

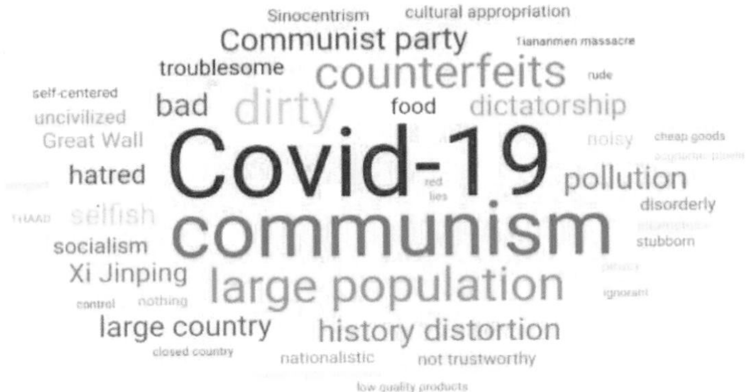

[그림 4] 중국하면 처음 떠오르는 것 (한국인 응답)
[图 4] 当你想到中国（韩国受访者）时，首先想到的是什么？

[2]큰 사건으로는 코로나바이러스가 있는데, 이 사건으로 인해 반중과 혐중이 폭발적으로 증가했습니다. 바이러스를 은폐하려다 전 세계가 팬데믹 상황이 되었고, 미국에서 코로나가 시작되었다는 가짜뉴스를 퍼트리는 등의 행위로 인해 긍정적인 여론을 얻기는 힘들 것으로 보입니다.

新冠疫情也是一个大事件。该事件导致反中及厌中情绪暴涨。为了掩盖病毒，导致了全球新冠疫情大流行，并且编纂出新冠病毒源于美国的假新闻等。这些行为很难获得舆论的肯定性评价。

그리고 지나친 중화사상은 현재 중국 국민들을 국수주의로 만들고 있습니다. 그 결과로 일부 중국인들이 비뚤어진 애국심을 갖게 되었고, 외국에 나가서도 자국에서 행동하던 대로 행동하게 되었습니다. 이전부터 중국에 짝퉁의 이미지가 존재했지만 이를 넘어서 중국인의 매너 문제도 대두되기 시작했습니다.

而且，过度的大中华思想目前正将中国国民推向民粹主义，导致部分中国人抱有扭曲的爱国心，即使到了外国也象在国内那样行事。很早以来就存在着中国等于山寨货的印象，进而中国人的行为举止问题也开始浮现。

인터넷이 발달하면서 각종 온라인 게임 등에서 중국인들이 타국인들에게 민폐를 끼친다는 인식이 팽배해졌습니다. 그 예시로 FPS 게임인 '배틀그라운드'의 출시 이후, 중국인들은 비인가 프로그램, 쉽게 말해서 '핵' 등을 이용해 공정한 경쟁을 방해하는 등의 행위로 나날이 인식이 바닥을 치고 있습니다.

---

2) 김정은, 코로나19 이후 계속되는 아시아인 혐오…한국인·한국계 피해도, 연합뉴스, 2020.06.24

随着互联网的发展，在各种线上游戏中指称中国人损害他国人的看法日益高涨。举个例子，FPS游戏《绝地求生》上线后中国人利用非许可程序外挂等妨害公平竞争等的行为使得人们对他们的认识天天创下新低。

[3]심지어 중국의 노트북 회사는 회사의 임원이 직접 노트북으로 핵을 정상적으로 사용할 수 있다며 홍보하는 등, 중국유저는 '핵쟁이 유저'라는 인식을 가중시켰습니다.

甚至于，中国的笔记本电脑公司宣称公司的高管人员亲自通过笔记本电脑正常使用核弹等，这加重了中国玩家是"外挂玩家"的印象。

또한 우리나라 외에도 일본의 반중과 혐중 감정도 큰 편인데 이는 주변 아시아 국가에 중국이 미친 영향이 있기 때문입니다. [4]중국이 저지른 수많은 역사 왜곡과 문화 왜곡으로 인해 한복과 김치를 중국의 문화라고 하거나 일본의 기모노, 베트남의 아오자이 등을 자국 문화라고 우기기도 합니다. 그리고 6.25 전쟁 당시 북한의 뒷배로 한반도 전쟁에 개입해 통일을 무산시키기도 하였기 때문에 역사적으로도 인식이 좋기 힘든 상황에 놓여있습니다.

而且，除我国以外日本的反中、厌中情绪也很强，这主要缘于中国对周围亚洲国家造成了影响。中国对历史和文化进行了很多歪曲，不仅称韩服和泡菜是中国文化，还说日本和服、越南式旗袍等也是本国文化。另外，在历史上中国作为北韩的后台介入了韩半岛战争使韩半岛的统一成为泡影。

---

3) 서동민, 델(DELL) "우리 노트북, 배그 핵 잘 돌아간다" 논란, GAMETOC 리뷰&분석, 2018.04.13
4) 류지영, 한복·김치 이어 스키 기원도 中? … 문화 왜곡 장으로 변질된 올림픽, 서울신문, 2022.02.16

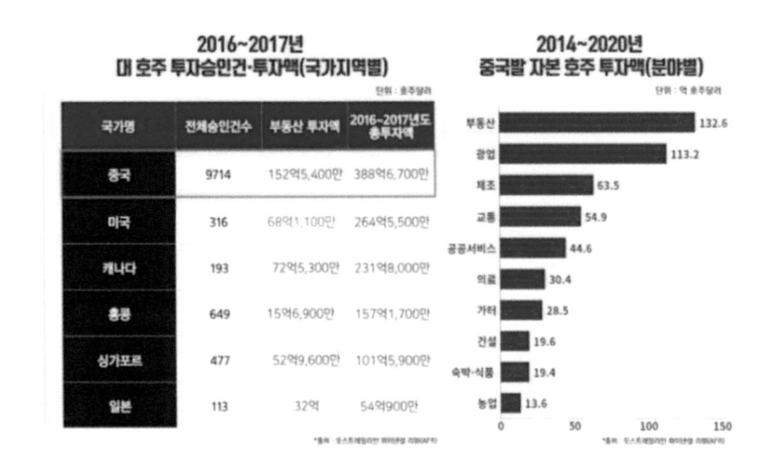

2016~2017년
대 호주 투자승인건·투자액(국가지역별)

단위 : 호주달러

국가명	전체승인건수	부동산 투자액	2016~2017년도 총투자액
중국	9714	152억5,400만	388억6,700만
미국	316	68억1,100만	264억5,500만
캐나다	193	72억5,300만	231억8,000만
홍콩	649	15억6,900만	157억1,700만
싱가포르	477	52억9,600만	101억5,900만
일본	113	32억	54억900만

[그림 5] 한국뿐만 아니라 "차이나 머니 논란"
[图 5] 中国人海外房地产投机

5)6)또한 자유의 억압과 통제 등의 문제도 있으며, 중국인들의 해외 부동산 투기도 손에 꼽을 수 있는 현 반중 감정의 배경입니다.

同时，压制自由、中国人海外房地产投机也是主要的现实背景因素。

5) 신윤재, "한국뿐이랴?" 전세계 부동산 잠식하는 '차이나 머니'의 공습, 매일경제, 2021.08.21
6) 차학봉, "중국인 투기로 집값 뛴다"...캐나다, 외국인 취득세 20% 높여, 조선일보, 2021.02.22

한국에서 중국인으로 산다는 것
中国人，生活在韩国

우리는 앞에서 한국인의 반중 감정에 대해 확인할 수 있었습니다. 그렇다면 지금부터는 이렇게 중국인 혐오 정서가 만연한 대한민국에서 중국인들이 어떻게 살아가고 있는지 알아보겠습니다.

我们在前面可以看到韩国人的反华情绪。那么从现在开始，让我们来了解一下在对中国人厌恶情绪蔓延的大韩民国，中国人是如何生活的。

실제 한국에서 생활하고 있는 중국인 세 명을 대상으로 인터뷰를 진행했습니다. 세 명 중 두 명은 현재 가천대학교에 재학 중이고, 한 명은 가천대학교 동양어문학과를 졸업했습니다.

以实际生活在韩国的3名中国人为对象进行了采访。三人中有两人目前就在校于嘉泉大学，一人毕业于嘉泉大学中文系。

중국인들이 한국에서 생활하면서 차별을 겪은 적이 있는지에 대한 내용을 담았습니다.

包括了中国人在韩国生活时是否经历过歧视的内容。

1. 먼저, 간단한 자기소개와 함께 한국에 온 지 얼마나 되었는지 알려주세요.
请先简单自我介绍一下儿，然后告诉我们你来韩国多久了。

자명

저는 가천대학교의 교환학생인 추자명이고, 한국에 온 지는 4개월 되었습니다.
我是嘉泉大学的交换生邹梓萌，我来韩国已经四个月了。

박생

저는 산동성(山东) 린이(临沂)에서 온 번박생이고, 한국에 온 지 2년이 되었습니다.
我叫樊博生来自山东临沂，我来韩国2年了。

김향

가천대학교 동양어문학과를 졸업한 전김향입니다.
한국은 2017년에 와서 올해로 7년이 됐습니다.
我是田金香，毕业于嘉泉大学东方语言文学系。
2017年来到韩国，今年已经7年了。

2. 한국에 온 이후 한국인들과 교류가 있었나요? 있다면 많은가요?
来韩国以后和韩国人有过交流吗？有的话多吗？

있습니다. '언어문화교류팀'의 네 명의 한국 학생들과 6번의 교류 활동을 했습니다.
有交流，和语言文化交流小组的四位韩国学生进行了六次交流活动。

박생

한국인과 교류는 있었지만, 많지는 않습니다.
和韩国人有交流，不是很多。

김향

한국 학생들과 교류가 많은 편이라고 생각합니다.
我觉得和韩国学生交流挺多的。

3. 어떤 부분에서 교류가 있었나요? 예시로는 팀 프로젝트를 하거나 같이 노는 것 등이 있습니다.
在哪些方面进行了交流？比如，做团队项目还是一起玩儿等。

자명

팀 프로젝트를 진행하는 교류가 있었습니다.
做团队项目的时候进行交流。

박생

조별 과제를 할 때 같이 토론하고, 함께 PPT를 만드는 등의 교류가 있었습니다.
小组作业的时候一起讨论，一起做PPT等。

김향

수업을 들으면서 한국 학생들과 팀 프로젝트도 하고 개인적으로 연락하며 친분을 쌓았고 사적으로 만나서 놀기도 하며 여러 관계를 쌓았다고 생각합니다.
一边听课，一边和韩国学生进行团队项目，私下联系，增进了交情。还有私下见面玩，建立了各种关系。

4. 한국인이 중국인에 대해 편견을 가지고 있다고 생각하나요? 만약 편견이 있다고 느낀다면, 어떤 점에서 그렇게 생각하나요? 예를 들어, 학교 팀 프로젝트에서 협력하지 않는 경우가 있습니다.
你觉得韩国人对中国人有偏见吗？如果你觉得有偏见，你在哪些方面是这么想的？比如，在学校团队项目中不合作。

자명

대부분의 한국인은 모두 친절하고, 잘 대해줍니다. 하지만 어떤 사람들은 중국인 모두가 예의가 없다고 생각합니다.
大部分韩国人都很好，很热情。可是有些人认为中国人都没有礼貌。

박생

대부분의 한국인은 중국인에 대한 편견이 없다고 생각합니다. 제가 만난 한국인들은 모두 친절했습니다.
我觉得一般韩国人对中国人没有偏见。我遇到的韩国人都很亲切。

김향

직접 겪은 중국인에 대한 편견은 예전보다는 덜 하다고 생각하지만, 있긴 합니다. 기본적으로 중국인의 사상 문제에 편견이 있는 것 같습니다. 예전에 한국 학생이 "중국인은 전부 더러울 줄 알았다."라는 말도 들어봤는데, 오해라고 설명했던 기억이 납니다. 중국인하면 팀 프로젝트 무임승차 등에 관련한 이야기가 많이 있는 것 같은데, 다른 국적의 학생들과도 팀 프로젝트를 해 본 경험으로는 국가의 문제가 아닌 것 같습니다.

根据我的亲身经历韩国人对中国人的偏见比以前少了，但确实有。基本好像对中国人的思想有偏见。以前听韩国学生说过，以为中国人都会很脏。我记得对此解释说这是误解。还有提到中国人，好像有很多关于团队项目中搭便车等的故事，但与不同国籍的学生进行团队项目的经验来说，这应该不是国家的问题。

5. 당신은 중국인에 대한 고정관념이나 차별을 경험한 적이 있나요? 있다면 어떤 일이었나요?
你有过对中国人的刻板印象或者歧视的经历吗？如果有的话会是什么样的事情呢？

자명

학교 안에서는 차별 경험이 없지만, 학교 밖에서는 있습니다. 중국인에게 악의가 있는 것 같다고 느꼈습니다. 쇼핑할 때, 가끔 중국인을 무시하는 경우가 있습니다.
在学校里没有歧视经验，但在学校外面有。我感觉韩国人好像对中国人有恶意。购物的时候偶尔会遇到无视中国人的现象。

박생

없습니다.
没有。

김향

사소하게 겪은 적이 몇 번 있습니다. 한국에 들어온 지 얼마 안 됐을 때 한국말이 서툴러서 외국인 티가 많이 났을 때였습니다. 식당에서 서비스가 불친절했었는데 한국어 실력이 많이 늘게 된 이후 재방문 했을 때 서비스가 달라졌습니다.

한국 학생들과 대화할 때 티를 내지는 않았지만, 기본적으로 고정관념이 있다고 느꼈습니다.

코로나 당시 한국에서 중국인인 걸 숨기고 생활해야 하나라는 고민이 있었습니다. 한글을 다 잘 쓰고 잘 읽는 한국인과 달리 중국인이지만 다 잘 쓰고 잘 읽지 못할 때도 많은데 중국어가 완벽할 것이라는 기대감도 가끔 있는 것 같습니다. 어쩔 수 없는 것이지만 부담이 될 때도 있습니다.

经历过几次小事。 来韩国没多久的时候，因为韩语不好，所以人们很容易发觉我是外国人。 这时餐厅的服务不亲切，但是现在我的韩语说得很好,重新去那家餐厅的时候服务变好了。

和韩国学生对话时，即使他们不表现出来，我觉得他们基本有成见。

当新冠肺炎流行时，在韩国感受到了很多不友好的目光，甚至想过要隐瞒自己是中国人的事实。与韩语都写得好、读得好的韩国人不同，即使是中国人，中文也不一定都写得好或读得好。但是因为是中国人，所以也有期待中文完美的情况。这是没办法的事情，但有时会觉得挺难的。

6. 자신이 차별을 직접 경험하지 않았다면, 주변에서 들은 경험이 있나요?
如果没有亲身经历过的话，你知道周围的人的经历吗？

자명

쇼핑할 때 종업원이 중국인을 대하는 태도가 좋지 않았던 경험이 있습니다.
在购物时遇到服务员对中国人态度不好的情况。

박생

없습니다.
没有。

생활과 관련해서 집을 계약할 때나 알바를 구할 때 힘들다는 이야기를 들은 적이 있습니다.
在生活方面，我听说签订房子或找工作的时候挺难的。

7. 한국인이 차별했을 때 기분이 어땠나요?
你经历韩国人的歧视时候，你有什么感受？

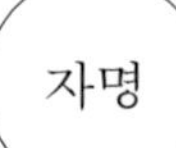

중국인에 대한 오해로 인한 차별이라고 생각해서 답답했습니다.
我觉得是因为对中国人的误会，所以很郁闷。

8. 중국인 차별 문제를 해결하기 위해서는 어떤 노력이 필요하다고 생각하나요?

你认为如果要解决对中国人的偏见问题需要做什么努力？

자명

두 나라가 많이 교류하면 상호 간의 오해를 줄일 수 있을 것이라고 생각합니다.

我认为，如果韩国和中国两国多交流，就能减少这种误解。

박생

상호 교류 문화가 필요하다고 생각합니다.

需要互相交流文化。

흔쾌히 인터뷰에 참여해 주신 추자명 님, 번박생 님,
전김향 님에게 다시 한 번 감사의 인사를 드립니다.
欣然参与采访的邹梓萌、樊博生、田金香再次表示感谢。

창업지원단

가천대학
창업지원단

대한민국과 중화인민공화국
大韩民国和中华人民共和国

대한민국과 중화인민공화국, "두 나라는 어떤 관계인가?", "어떻게 연결되어있는가?", "왜 필요한 국가인가?" 저희는 앞에서 언급한 의문들에 관한 이야기를 하려고 합니다.

韩国和中华人民共和国，"两国关系怎么样？","两国之间的联系怎么样？"，"为什么中国是重要的国家？"我们将对前面提到的疑问进行说明。

대한민국과 중국은 경제적·외교적 방면에서 매우 중요하고 밀접한 관계를 맺고 있습니다. 경제적·외교적 문제 외에도 아주 다양한 이유가 존재합니다. 그래서 한국에게 중국은 없어서는 안 되는 필수적인 국가입니다.

韩国和中国因经济和外交问题而建立了非常重要且密切的关系。除了经济和外交问题之外，由于各种原因，两国对彼此都是不可或缺的国家。

저희 책에서는 한국에게 중국이 중요한 다양한 이유 중에서도 무역과 관광 부분을 중점적으로 다뤄보려고 합니다. 먼저 한국과 중국 간 무역의 중요성과 필요성에 대해 이야기하겠습니다.

我们的书将重点介绍韩国重要中国的各种理由中的贸易和旅游部分。首先，我们谈谈韩国和中国之间贸易的重要性及必要性。

1. 무역 贸易

한국과 중국의 무역 관계는 'Kiet 산업연구원' [중국의 대외교역과 한·중 간 무역](2021)'의 내용을 요약했습니다[7].

韩国和中国的贸易关系概括了'Kiet产业研究院[中国对外贸易与韩中贸易]'报告。

(1) 중국의 대외교역 의존도 中国对外贸易依存度

중국 경제가 성장하는 과정에서 세계 경제에서 차지하는 비중이 급속히 증가하며 무역 비중이 함께 증가했습니다. 중국의 무역이 세계 무역에서 차지하는 비중은 2004년 6.2%로 3위, 2009년 8.7%로 2위, 2013년 11%를 차지하며 제1위의 무역 대국으로 부상했습니다.

在中国经济增长的过程中，在中国经济世界经济中所占的比重迅速增加，贸易比重也随之增加。2004年，中国贸易占世界贸易的比重是6.2%，居世界第三位，2009年是8.7%，居世界第二位，2013年是11%，中国跃升为第一贸易大国。

---

7) Kiet 산업연구원, [중국의 대외교역과 한·중 간 무역], 2021.05.31.

중국의 무역 규모를 수출과 수입으로 구분하여 보면 수출은 1위, 수입은 미국 다음인 2위입니다. 중국의 수출은 2007년 전 세계의 8.7%로 1위를 기록했습니다.

中国的贸易规模可以从出口和进口两方面来看, 出口额第一, 进口额第二, 出口额仅次于美国。2007年, 中国的出口额占全球的8.7%, 居世界首位。

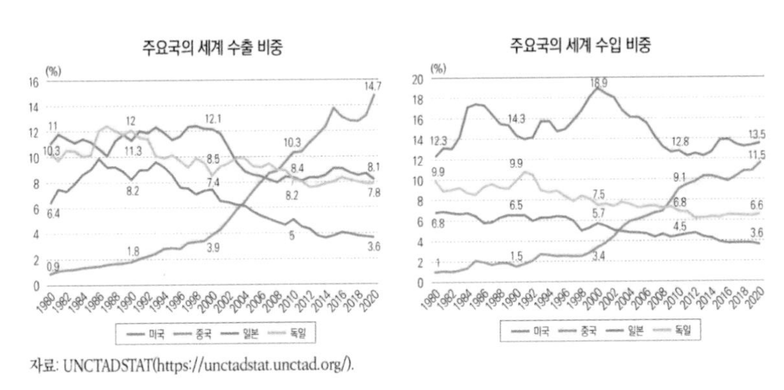

자료: UNCTADSTAT(https://unctadstat.unctad.org/).

[그림 6] 중국의 수출과 수입 비중 中国的出口和进口比重

[图 6] 中国的出口和进口比重

(2) 중국의 주요 무역 상대국 中国主要贸易伙伴

중국의 주요 무역 상대국은 2020년 아세안, EU, 미국, 일본, 중남미, 한국 등입니다. 중국의 주요 수입 상대국은 아세안이 1위를 차지했고 EU, 대만, 일본, 한국 순으로 높은 순위를 차지합니다.

2020年, 中国的主要贸易伙伴是东盟、欧盟、美国、日本、中南美、韩国等。中国的主要进口对象国是东盟, 其中排名靠前的是欧盟、台湾、日本、韩国。

한국은 2020년 중국과의 무역 규모가 2,853억 달러로, 국가 기준으로 보면 미국, 일본에 이은 3위의 무역 파트너입니다. 한국은 2020년 중국으로 1,700억 달러를 수출하고 1,100억 달러를 수입하여 600억 달러 규모의 무역수지 흑자를 기록했습니다. 2015년과 비교하면 중국이 한국으로부터의 수입은 감소한 데 비해 수출은 증가하여, 한국의 대중국 무역수지 흑자는 다소 축소되었습니다.

截至2020年,韩国与中国的贸易规模为2853亿美元,按韩国标准来看,中国是继美国、日本之后,的第三大贸易伙伴。韩国2020年向中国出口1700亿美元，即进口1100亿美元，韩国实现600亿美元规模的贸易顺差。与2015年相比，中国从韩国的进口减少，而出口增加，即韩国对华贸易顺差有所缩小。

(3) 한·중 간 무역 규모 韩中贸易规模

한국의 주요 무역 상대국은 중국, 미국, 일본입니다. 2020년 중국과의 무역 규모는 2,415억 달러로, 미국(1,316억 달러)과 일본(711억 달러)의 합계보다 많아 중국 의존도가 약 25%로 높았습니다.

韩国的主要贸易伙伴是中国、美国和日本。2020年韩国与中国的贸易规模为2415亿美元，高于美国（1316亿美元）和日本（711亿美元）的总和，即韩国对中国的依赖度高达25%。

한국은 중국에 최근 10년간(2020년 기준) 평균 매년 1,400억 달러 규모를 수출하고 950억 달러 규모를 수입하여, 약 450억 달러 상당의 무역수지 흑자를 기록했습니다.

韩国最近10年间（以2020年为准）平均每年向中国出口1400亿美元，进口950亿美元，创下了约450亿美元的贸易顺差纪录。

중국은 우리나라의 제1위의 수출 상대국이자 수입 상대국입니다. 중국은 2003년부터 미국을 능가하여 제1위의 수출 상대국으로 부상하고, 2007년부터는 일본을 능가하여 제1위의 수입 상대국으로 자리매김했습니다.

中国是韩国的第一大出口国和进口国。中国从2003年开始超过美国成为第一大出口对象国，2007年开始超过日本成为第一大进口对象国。

한국의 무역 중에서 중국이 차지하는 비중은 2010년 이후 20~25%를 차지합니다. 한국과 중국 간에 무역 갈등이 발생 할 경우, 다른 조건이 동일하다고 가정하면 한국 경제가 받는 영향은 중국이 받는 영향의 6배 이상입니다.

2010年以后在韩国的贸易中，中国在韩国贸易中所占的比重为20%至25%。如果韩国和中国之间发生贸易矛盾，假设其他条件相同，那么韩国经济受到的影响是中国的6倍以上。

한국 경제는 대외의존도(2020년 기준 최근 10년 간 70%)가 높은 구조이며, 그중에서도 중국 의존도(25%)가 높은데, 중국 교역에서 특히 반도체(24.3%)에 크게 의존합니다.

依存度很高，最近10年达到了70%，其中对中国的依存度达到了25%。另外，在韩中贸易中，半导体达到了24.3%，严重依赖中国。

⑷ 가공 단계별 한·중 간 무역 不同加工阶段的韩中贸易

한국의 대중국 수출입은 자본재와 중간재가 대부분을 차지하여 중국 경제와 밀접한 전후방 연관관계를 형성합니다. 자본재는 2020년 수출의 80%, 수입의 61%를 차지할 정도로 대중국 무역의 중요 분야이며 중간재는 대중국 비중이 계속 증가하는 추세입니다. 한·중 간 무역은 자본재와 중간재가 대부분을 차지하여 양국 경제는 쉽게 분리되기 어려운 구조임을 시사하고 있습니다.

韩国对华进出口中，资本产品和中间产品占大部分，韩国经济与中国经济形成密切的联系。2020年资本货物占出口的80%，进口的61%，是对华贸易的重要领域，另外中间产品对华比重呈持续增长趋势。韩中贸易中资本产品和中间产品占大部分，即两国经济相互依存，很难分割。

⑸ 요약 및 시사점 摘要及启示

중국에서 한국은 국가로는 미국, 일본에 이은 제3위의 무역 상대국이며, 수출입 규모는 2,853억 달러로 약 600억 달러의 무역수지 적자를 기록했습니다. (중국은 한국에서 반도체를 약 400억 달러 수입)

在中国，韩国是仅次于美国和日本的第三大贸易伙伴，进出口规模为2853亿美元，贸易逆差约600亿美元。（中国从韩国进口约400亿美元的半导体)

한국에서 중국은 제1위의 무역 상대국(2,415억 달러)으로서 2위 미국(1,316억 달러), 3위 일본(711억 달러)의 합계보다 많아 한국의 대중국 무역의존도가 크게 높다는 것을 알 수 있습니다.

在韩国，中国作为第一大贸易伙伴（2415亿美元），比第二位美国（1316亿美元）和第三位日本（711亿美元）的贸易总和还要多，因此韩国对中国的贸易依存度很高。

대중국 수출은 1,326억 달러, 수입은 1,089억 달러로 무역수지 237억 달러의 흑자를 기록했습니다. 반도체가 대중국 무역에서 차지하는 비중은 수출의 30%(399억 달러), 수입의 17%(188억 달러)이며 무역수지의 89%(211억 달러)를 차지합니다.

对华出口1326亿美元，进口1089亿美元，贸易顺差237亿美元。半导体占对华贸易收支的89%（211亿美元），其中出口占贸易总额的30%（399亿美元）、进口占贸易总额的17%（188亿美元）。

중국에 수출하는 반도체(399억 달러)는 전체 반도체 수출(992억 달러)의 40%를 차지할 정도로 다른 품목에 비해 중국 집중도가 높습니다.

向中国出口的半导体（399亿美元）占韩国整个半导体出口（992亿美元）的40%，即与其他产品相比，单半导体中国市场的集中度很高。

2. 관광 观光

다음으로는 한국과 중국 간 관광 방면에서의 중요성에 대해 알아보겠습니다.

下面我们来谈谈韩国和中国之间观光的重要性。

코로나 팬데믹 시대가 완화된 지금, 항공 수요가 정상화되면서 자연스럽게 한국 관광경제가 되살아나고 있습니다.

"COVID-19"Pandemic时代缓和的今日，随着航空需求的正常化，韩国旅游经济自然而然地复苏。

한국 관광경제를 살리는 주요 여행객은 바로 중국인입니다. 중국인들은 한국에 입국한 후, 물건을 구매하거나 의료관광을 합니다. 먼저 물건구매 부분에 대해서 알아보겠습니다.

拯救韩国旅游经济的主要游客就是中国人。中国人入境韩国后购买物品或进行医疗观光等。首先说一下购买物品的部分。

다음 표는 '인천 국제 항공 공사'의 "2023 인천공항 항공 여객 행동 특성 조사" 개요입니다. 조사내용은 인천공항 출국 여객의 해외여행 전 여정의 이용행태 분석입니다.

以下是 '仁川国际航空公司' "2023仁川机场航空旅客行动特性调查"概要。调查内容是分析仁川机场出境旅客海外旅行前旅程的使用情况。

구분 划分	내용 内容
조사 기간 调查 期间	'23.01~23.09' (총 9개월, 매달 2번) '23.01~23.09' (共9个月, 每月2次)
조사 표본 调查 标本	인천공항을 이용한 내·외국인 출국 여객 4,725명 利用仁川机场的韩国人和外国人出境旅客达4725人
분석 표본 分析 样本	한국인(3,021명), 중국인(259명), 일본인(211명) 총 3,491명 韩国人(3021名)、中国人(259名)、日本人(211名)、共3491名
조사 내용 调查 内容	국내 출발지~인천공항 도착~탑승 게이트까지의 해외 출국 全 여정의 인천공항 시설 및 서비스 이용행태 및 면세점 쇼핑 특성 国内出发地~仁川机场从到达机场到登机口全部出境 的仁川机场设施服务使用情况及免税店购物特性

[표 1 : 2023 인천공항 항공 여객 행동 특성 조사 개요]
[表格 1 : 2023 仁川机场航空旅客行动特性调查概要]

조사 결과를 통해 중국인이 인천공항 면세점 최고 고객인 것을 알아볼 수 있었습니다.

调查结果显示, 中国人是仁川机场免税店的大客户。

중국인들의 공항 내 면세점 방문 후 구매 비율은 75%로 한·중·일 3국 중 가장 높았으며, 인천공항 도착 전부터 면세매장을 검색하며 관심을 보였다고 합니다. 중국인은 '화장품/향수(56.8%)' 품목을 가장 많이 구매하였으며, 쇼핑 지출액도 1인 평균 267,822원(한국 돈)으로 가장 높아 일본인(161,503)보다 60% 가량 높다는 결과가 나왔습니다.

在机场，75%的中国人在参观免税店后会购买高品，是韩中日三国购买，3国中最高率最高的国家。他们在到达机场之前就开始搜索免税店，由此可以感受到中国顾客的购物热情。中国顾客购买最多的商品是化妆品/香水占(56.8%)，人均购物支出额度为1人平均267,822韩元，比日本（161,503）高出60%左右。

정리하자면 한국에 입국한 중국인들은 한국에서 엄청난 소비를 하므로 한국 경제에 아주 큰 도움이 된다고 할 수 있습니다.

综上所述，进入韩国的中国人在韩国消费巨大。因此，对韩国经济有很大的帮助。

두 번째로 의료관광 부분에 대해서 알아보겠습니다. 다음은 '한국보건산업진흥원'의 "2022 외국인 환자 유치실적 통계분석 보고서"입니다.

第二，我们来讲一下医疗观光部分。以下是'韩国保健产业振兴院'"2022年入院外国患者 情况统计分析报告书"。

① 2022년 국적별 외국인 환자 현황(실환자)
2022年各国籍外国医疗观光的人现状（现存医疗观光的人）

국적	비중
미국	17.8
중국	17.7
일본	8.8
태국	8.2
베트남	5.9
몽골	5.7
러시아	3.9
카자흐스탄	2.9
캐나다	1.9
필리핀	1.8
싱가포르	1.5
우즈베키스탄	1.3
인도네시아	1.2
그 외 국가	21.3

② 2022년 국적별 외국인 환자 현황(연환자)
2022年各国籍的外国医疗观光的人现状（年度医疗观光的人）

국적	비중
미국	20.9
중국	13.7
몽골	8.3
카자흐스탄	5.6
러시아	5.6
태국	5.5
베트남	5.3
일본	5.2
아랍에미리트	4.3
필리핀	1.6
캐나다	1.6
우즈베키스탄	1.4
그 외 국가	21.0

2022년, 중국 환자는 총 49,323명으로 전체 외국인 환자 248,110명 중 17.7%를 차지했고, 앞으로 더욱 늘어날 예정이라고 보고 있습니다.

2022年，中国来韩国进行医疗及美容的旅客总数为49,323人，占外国医疗美容旅客总数248,110人中的17.7%。据悉,今后中国访韩进行医疗观光的人数将进一步增加。

팬데믹 기간 동안 막혀 있던 하늘길이 열리며 의료관광도 활기를 되찾았습니다. 중국의 자국민 한국행 단체관광 금지 조치 해제가 더해지며 의료관광은 더욱 긍정적으로 전망되고 있습니다.

Pandemic期间,医疗观光也重新找回了活力。随着中国解除禁止本国国民前往韩国团体旅游的措施,医疗观光游有望得以进一步发展。

앞에서 말한 이유와 같이, 한국과 중국은 떼어놓으려고 해도 떼어 놓을 수 없는 필수 불가결한 관계입니다. 또 한국과 중국은 무역, 관광 등 경제적 부분 외에도 외교적, 문화적으로 필요한 존재입니다.

正如前面所说, 韩国和中国联系密切, 相互不可或缺。另外, 韩国和中国除了贸易、旅游等经济领域外, 在外交、文化方面也有很多交流。

중국은 지금까지, 그리고 앞으로도 영원한 우리의 이웃 나라입니다. 그 때문에 우리는 더더욱 갈등을 극복하기 위해 협력하고, 노력하며 상호 발전해야 합니다.

中国一直是韩国的交好邻邦。因此, 为了克服困难我们共同努力合作应。

서로에게 없어서는 안 되는 중요한 이웃 나라 중국, 지금부터 편견과 부정적인 고정관념에서 벗어나 서로를 이해하며 긍정적인 시각으로 새롭게 보도록 노력해보는 것은 어떨까요?

中国作为韩国不可或缺的重要邻国, 对我国家意义重大从现在开始摆脱偏见和消极的固定观念, 互相理解, 用积极的视角来因此看得中国大家觉得怎么样?

글로벌 시대 세계시민으로 거듭나기
成为全球化时代的世界公民

지금까지 저희가 조사한 바에 따르면, 우리나라의 반중 정서는 비교적 심각한 수준이라고 할 수 있습니다. 그러나 우리는 중국과 우리나라가 불가분의 관계라는 사실을 기억해야 합니다.

根据我们到目前为止的调查，大韩民国的反华情绪处于比较严重的水平。但是，我们要记住，中国和我们国家是不可分割的关系。

세상은 갈수록 서로 연결되는 형태를 취하고, 우리도 여기서 자유로울 수는 없습니다. 이제는 글로벌 시대의 세계시민으로서 어떻게 살아가야 할 것인가를 고민해야 할 차례입니다.

如今世界各国的联系越来越紧密，我们也身在其中。因此，现在轮到我们思考作为全球时代的世界公民应该如何生活了。

저희가 말하는 세계시민이란, 세계 문제에 대해 책임감을 가지고 다양한 문화와 배경을 가진 사람들과 함께 살아가려는 가치관을 지닌 사람을 의미합니다.

我们所说的世界公民，指的是对世界问题负有责任感，而且认同他们应该与不同文化和背景的人一起生活。

세계 시민의식 함양을 위해 저희는 한 가지 캠페인을 진행했습니다. 캠페인의 주제는 '중국인 차별 반대'로, 참여자들은 우리나라의 중국인 차별 문제를 인식하고, 나아가 '중국인 차별 반대' 의식을 가질 수 있습니다.

为了培养世界公民意识，我们进行了一项活动。主题是“反对歧视中国人”，参与活动的人可以认识到韩国人歧视中国人问题，进而产生“反对歧视中国人”的意识。

저희의 '중국인 차별 반대 캠페인'은 온라인에서 이루어졌으며, 인스타그램을 활용했습니다. 카드 뉴스 형식의 게시물을 업로드했고, 사람들은 '댓글 작성'과 '게시물 공유'를 통해 캠페인에 참여했습니다.

我们的“反对歧视中国人活动”是利用Instagram在网上进行的。活动上传了卡片新闻的帖子，人们可以通过写评论和分享帖子来参与活动。

카드 뉴스는 '미리 캔버스'를 통해 제작되었습니다.
卡片新闻是通过“miri canvas”制作的。

캠페인에 사용된 카드 뉴스의 내용은 다음과 같습니다.
活动中使用的卡片新闻包括：

1. 중국인 차별 반대 캠페인 反对歧视中国人的活动

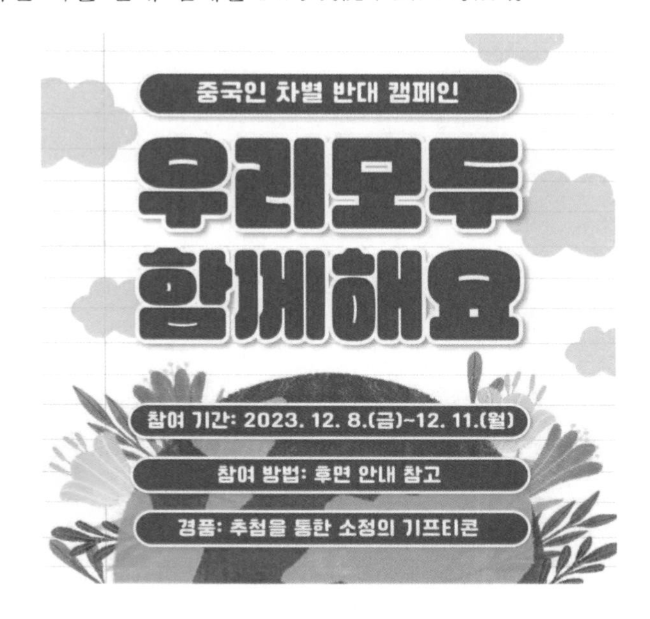

"우리 모두 함께해요" 我们一起努力吧

- 참여 기간: 2023.12.8.(금) ~ 2023.12.11.(월)

  参与时间：2023年12月8日（星期五）

  ~2023年12月11日（星期一）

- 참여 방법: 후면 안내 참고

  参与方法：参考后面说明

- 경품: 추첨을 통한 소정의 기프티콘

  抽奖奖品：通过抽签获得电子商品优惠券

2. “중국인 인식 설문조사” 결과 제시 ①

韩国人对“中国人认识的问卷调查”结果

▷ 한국인의 "중국인 인식 설문조사"

▶ 중국인에 대해 어떻게 생각하나요?

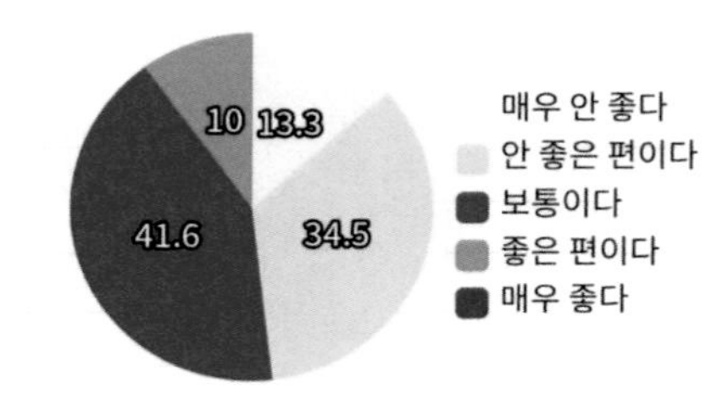

2023년 12월 1일 ~ 12월 4일 실시된 "중국인 인식 설문조사" 결과, 중국인에 대한 기본 감정으로 "안 좋은 편이다(39명, 34.5%)"와 "매우 안 좋다(15명, 13.3%)"를 포함하는 부정적인 감정이 가장 많은 것으로 나타났습니다.
다음으로는 "보통이다(47명, 41.6%)"가 많았고, "좋은 편이다"는 13명(10.6%)였으며 "매우 좋다"는 없었습니다.

*응답자 수: 총 113명

- 중국인에 대해 어떻게 생각하나요?
  你对中国人有什么看法？
- 답변 선택 종류: 매우 안 좋다/안 좋은 편이다/보통이다/좋은 편이다/매우 좋다
  选择答案类型：非常不好/比较不好/一般/比较好/非常好

2023년 12월 1일부터 12월 4일 4일간 실시된 "중국인 인식 설문조사" 결과, 중국인에 대한 기본 감정으로 "안 좋은 편이다(39명, 34.5%)"와 "매우 안 좋다(15명, 13.3%)"를 포함하는 부정적인 감정이 가장 많은 것으로 나타났습니다.

2023年12月1日至12月4日共4天，我们进行了题为"对中国人的认识"的问卷调查。关于对中国人的印象，表现得最多的是负面情绪，包括"比较不好(39人，34.5%)"和"非常不好(15人，13.3%)"。

다음으로는 "보통이다(47명, 41.6%)"가 많았고, "좋은 편이다"는 13명(10.6%)이었으며 "매우 좋다"는 없었습니다.

其次是"一般(47人，41.6%)"，最后是"比较好(13人，10.6%)"。没有人选择了"非常好"。

3. "중국인 인식 설문조사" 결과 제시 ②

韩国人对"中国人认识的问卷调查"结果

▷ 한국인의 "중국인 인식 설문조사"

▶ 왜 중국인에게 부정적인 감정을 갖고 계시나요?

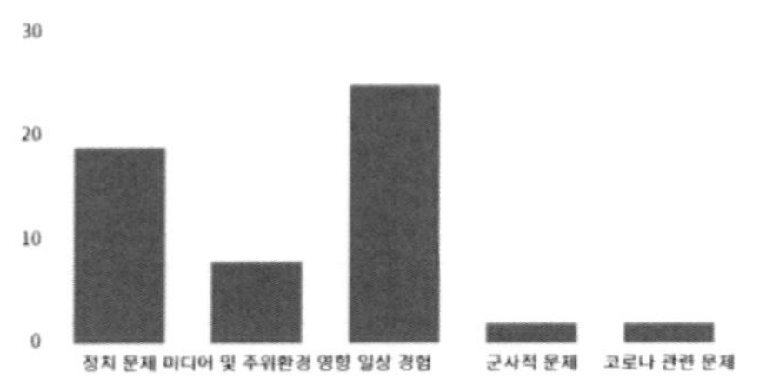

한국인들이 중국인에게 부정적인 감정을 갖게 된 이유는 정치 문제와 미디어 및 주위 환경 영향, 일상에서의 경험, 군사적 문제, 코로나 관련 문제로 크게 다섯 가지로 나눌 수 있었습니다.
'정치 문제'에는 동북공정, '하나의 중국', 중화사상 등이 포함되었고, 일상경험에는 수업시간 혹은 공공장소에서의 중국인의 태도 등을 문제 삼는 경우가 많았습니다.

*응답자 수: 총 66명

- 왜 중국인에게 부정적인 감정을 갖고 계시나요?
  如果你对中国人的印象不好，原因是什么？

한국인들이 중국인에게 부정적인 감정을 갖게 된 이유는 정치문제와 미디어 및 주위 환경 영향, 일상에서의 경험, 군사적 문제, 코로나 관련 문제로 크게 다섯 가지로 나눌 수 있었습니다.

回答大致分为五类：政治问题，媒体和周围的影响，日常经验，军事问题，新冠疫情问题。

'정치문제'에는 동북공정, '하나의 중국', 중화사상 등이 포함되었고, 일상 경험에는 수업 시간 혹은 공공장소에서의 중국인의 태도 등을 문제 삼는 경우가 많았습니다.

在政治问题方面，很多人提出了东北工程、中华思想以及"一个中国"、政治思想、歪曲历史等问题。也有在生活方面，在上课时间或公共场所太吵或不卫生，于是形成了负面情绪。

4. 중국인 인식 설문조사" 결과 제시 ③

韩国人对"中国人认识的问卷调查"结果

▷ 한국인의 "중국인 인식 설문조사"

▶ 한국에 중국인에 대한 차별이 존재한다고 생각하시나요?

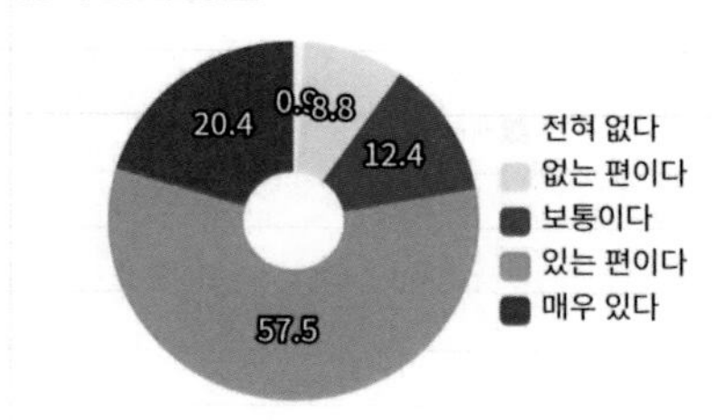

한국에 중국인에 대한 차별이 존재한다는 의견은
"있는 편이다"의 65명(57.5%), "매우 있다"의 23명(20.4%)를 합친
총 88명(77.9%)로 나타났습니다.
"보통이다"는 14명(12.4%), "없는 편이다"는 10명(8.8%),
"전혀 없다"는 1명(0.9%)로 조사되었습니다.

*응답자 수: 총 113명

- 한국에 중국인에 대한 차별이 존재한다고 생각하시나요?

  你认为在韩国存在对中国人的歧视吗？

한국에 중국인에 대한 차별이 존재한다는 의견은 “있는 편이다”의 65명(57.5%), “매우 있다”의 23명(20.4%)를 합친 총 88명(77.9%)로 나타났습니다.

65人(57.5%)选择了“有”，23人(20.4%)选择了“非常多”，共88人(77.9%)表示在韩国存在对中国人的歧视。

“보통이다”는 14명(12.4%), “없는 편이다”는 10명(8.8%), “전혀 없다”는 1명(0.9%)로 조사되었습니다.

据调查，14人(12.4%)选择了“一般”，10人(8.8%)选择了“没有”，1人(0.9%)选择了“完全没有”。

5. 글로벌 시대 세계시민의 정신 강조
强调全球化时代世界公民的精神

▷ 이제는 글로벌 시대!

" 글로벌 시대에 세계시민으로 살아가는 우리,
중국인 차별 반대 캠페인을 시작합니다! "

▷ 중국인 차별 반대 캠페인

▶ 중국인에 대한 고정관념에서 벗어나기!
설문조사를 통해 중국인은 시끄럽다, 더럽다 같은 편견으로 인해 부정적인 감정을 형성한 경우가 많음을 확인했습니다. 이러한 고정관념에서 벗어나 직접 중국인과 교류하는 건 어떨까요?

▶ 중국인에 대한 혐오표현을 사용하지 않기!
설문조사 결과, 많은 사람들이 '짱깨', '칙짱죽짱' 등 중국인에게 모욕적인 표현을 알고 있음을 확인했습니다. 이러한 표현 사용을 지양하는 것부터 시작해요!

- 이제는 글로벌 시대! 现在是全球化时代！

"글로벌 시대에 세계시민으로 살아가는 우리, 중국인 차별 반대 캠페인을 시작합니다!"

在全球化时代，作为世界公民生活的我们，就开始"反对对中国人歧视"的活动。

- 중국인 차별 반대 캠페인 反对对中国人歧视的活动

• 중국인에 대한 고정관념에서 벗어나기!

설문조사를 통해 중국인은 시끄럽다, 더럽다 같은 편견으로 인해 부정적인 감정을 형성한 경우가 많음을 확인했습니다. 이러한 고정관념에서 벗어나 직접 중국인과 교류하는 건 어떨까요?

摆脱对中国人的偏见：根据问卷调查，很多韩国人是由于中国人吵闹、肮脏等偏见而形成了负面情绪。为了摆脱这种固有观念，您认为直接与中国人进行交流怎么样？

• 중국인에 대한 혐오 표현 사용하지 않기!

설문조사 결과, 많은 사람들이 "짱깨", "착짱죽짱"등 중국인에게 모욕적인 표현을 알고 있음을 확인했습니다. 이러한 표현 사용을 지양하는 것부터 시작해요!

别使用厌恶中国的表达方式：根据问卷调查，很多人知道"掌柜"，"好掌柜都是掌柜(中国人都不好的意思)"等厌恶中国的表达。让我们从铲除这种说法开始吧！

6. 캠페인 참여 방법 제시 提示“对中国人歧视反对活动”参与方法

① 행동 실천 댓글 작성: 캠페인 카드 뉴스 게시물에 “나는 중국인 차별을 반대합니다”라는 댓글을 남겨주세요.

用行动实践：请在活动卡片新闻帖子上回帖：“我反对歧视中国人。”

② 캠페인 게시물 공유하기: 지금 보고 있는 이 캠페인 카드 뉴스를 인스타그램 스토리로 공유해서 널리 알려주세요.

分享帖子：内容请在Instagram Story上分享这个帖子，并告诉朋友们。

③ 캠페인 참여하기: 중국인을 차별하지 않는 생활을 직접 실천해요.

直接参与活动：在生活中亲自实践。

7. 캠페인 참여 인증 방법 认证参与活动方法

- 캠페인에 참여하고, 인증샷을 찍어서 구글폼에 남겨주세요!
  请参与活动，拍摄认证照片后提交到谷歌网站。

• 캠페인 참여 → 참여 인증샷 찍기 → 구글폼 참여 인증 → 캠페인 완료
  参与活动 → 拍摄认证照片 → 认证照片提交至谷歌网站 → 活动完毕

- 2023.12.8. ~ 2023.12.11. 기간 동안 구글폼에 댓글 작성과 스토리 공유 인증샷을 모두 남겨주신 분들을 대상으로 추첨하여 경품을 지급합니다.
  2023年12月8日至2023年12月11日，对回帖的人、分享帖子的人、提交参与活动认证照片的人，进行抽签并赠送奖品。

8. 경품 안내 奖品介绍

- 글로벌 세계 시민에게 드리는 선물 给全球公民的礼物

"댓글 작성과 스토리 공유를 모두 하시면 추첨을 통해 경품을 드립니다!"

"对回帖的人、分享帖子的人，进行抽签并赠送奖品。"

• 음료 기프티콘 증정 赠送饮料电子商品优惠券

'중국인 차별 반대 캠페인' 중 "댓글 작성"과 "캠페인 카드뉴스 게시물 스토리 공유"를 모두 해 주신 분들게 추첨을 통해 소정의 기프티콘을 드립니다.

在"反对歧视中国人活动"中，"回帖"和"分享活动卡片新闻帖子"给所有做过的人，通过抽签赠奖品。

앞서 진행한 캠페인에 이어, 같은 형식의 캠페인을 추가로 진행했습니다. 12월 12일부터 15일까지 진행되었으며, 이번에는 댓글 작성 혹은 스토리 공유 중에 한 가지를 선택할 수 있도록 했습니다.

我们以同样的形式从12月12日到15日再次进行了这项活动。这次可以在回帖或分享帖子中选择一种。

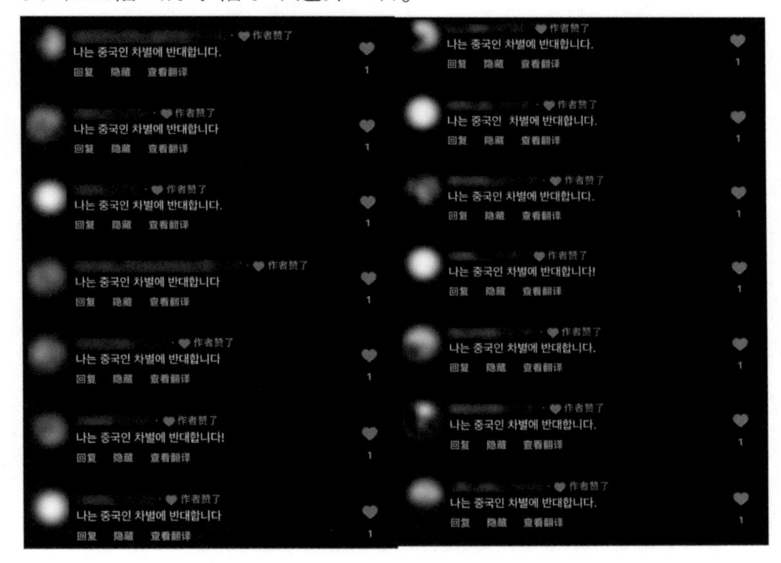

[그림 5] 캠페인 활동 중 '댓글 달기' 活动中"回帖"

사진은 캠페인 활동 중 "나는 중국인을 차별하지 않겠습니다." 댓글을 작성한 사람들의 모습입니다. 1차와 2차를 합쳐 모두 59명이 캠페인에 참여했습니다.

在上图中，参与者表示"我不会歧视中国人"。第一次和第二次共有59人参加了活动。

캠페인을 통해 저희는 “중국인 차별에 문제의식을 갖고, 반대하려는 사람들이 있다”는 결과를 얻었습니다. 적지 않은 참여인원을 보면서, 저희는 우리나라의 중국인 차별 문제를 해결할 수 있다는 희망을 느꼈습니다.

通过这次活动，我们了解到“有些人关心中国歧视问题并反对歧视”。看到如此多的人参与，我们觉得有希望解决我国的华人歧视问题。

작가의 말 作者的话

김다희 金多熙

"멀리 있는 친척보다, 가까운 이웃이 낫다."라는 말을 들어본 적이 있으신가요? 본인은 미우나, 고우나 이웃 나라 중국에 사는 중국인들과 사이좋게 지내야 한다고 생각합니다.

你们听说过"远亲不如近邻"这句话吗？ 我认为,不管喜不喜欢,都应该与邻国中国的中国人保持良好的关系。

중국은 지금까지도, 그리고 앞으로도 계속 영원한 우리의 이웃나라입니다. 갈등을 극복하기 위해 협력하고, 노력하며 서로 발전해나가야 하는 가장 중요한 나라이기도 합니다.

中国一直是韩国的交好邻邦。因此, 为了克服困难我们应共同努力合作。

이렇게 중요한 이웃 나라 중국! "중국, 넌 어떻게 생각해?"라는 저희의 책을 통해서, 여러분들께서 갖고 계시던 중국인에 대한 편견과 고정관념들이 조금은 사라졌다면 참 좋겠네요.

这样重要的邻国中国！ "你如何看待中国?" 通过我们的书, 希望大家对中国的偏见和固有观念能够消失一点。

책을 읽어주신 독자분들께 깊은 감사의 말씀을 드립니다.

向读书的读者们致以深深的谢意。

바쁜 와중에, 중국어 번역에 큰 도움을 주신 진묘 선생님, 나의 중국인 친구들, 책 표지 제작에 도움을 준 서정이 모두에게 감사의 말씀을 드리고 싶습니다. 또, 설문조사와 캠페인에 참여해 주신 분들께도 큰 감사의 말씀을 드립니다. 마지막으로, 나의 소중한 조원 하늘이, 태민 님 너무너무 고생했어요, 고마워요! ♥

윤태민 尹太民

먼저 굉장히 어려웠다고 전하고 싶습니다. 그렇지만 또 뜻깊은 시간이었습니다. 분명 1달이라는 기간은 시간자체는 길었지만 프로젝트 하나를 진행시키기에는 짧았기에 정말 정신 없었던 것 같습니다. 다른 분들이 교훈적인 내용을 많이 말해주셨기 때문에 저는 책 제작 과정들에 대해 간략하게 언급하려고 합니다.

首先我想说非常困难。但是也是很有意义的时间明明1个月的时间本身就很长，但是要进行一个项目的话太短了，所以真的忙得不可开交。因为其他人讲了很多教训性的内容,所以我想简要地提及一下书的制作过程。

처음에는 굉장히 1차원적으로 떠오른 주제였지만 그 만큼 가장 대표적인 주제라고 생각했습니다. 그런데 다른 조들에 비해 저희 조 주제만 사회적이고 심오하다는 느낌을 받아 걱정이 앞서기도 했습니다. 너무 어려운 길을 선택했나 싶었지만 설문조사와 인터뷰를 몸소 진행하면서 이 주제는 분명히 이야기 되어야 한다고 더더욱 느껴졌습니다.

非常一次元的主题，但是我认为是最具代表性的主题。但是与其他小组相比,只有我们的小组主题感到社会性、深奥，所以很担心。虽然觉得是不是选择了太难的道路，但是在亲自进行问卷调查和采访的过程中，我更觉得这个主题应该明确地说出来。

사실 저희의 책으로 엄청나게 큰 효과가 일어날 것이라고 기대하지는 않습니다. 그러나 분명한 건 저희의 행동으로 인해 중국인에 대한 현실을 인지하고 그걸 실천해주신 분들이 계십니다. 결과는 사소한 행동에서 시작되기 마련이라고 생각합니다. 그렇기 때문에 이 책을 읽으신 분들께서도 한 번쯤은 자신의 행동을 떠올렸으면 하는 소망이 있습니다.

其实我并不期待我们的书能产生很大的效果。但可以肯定的是,因为我们的行动,有些人认识到了中国人的现实,并付诸实践。我认为结果必然是从细微的行为开始。因此，希望读过这本书的人也能想起自己的行动。

중국인에 대한 혐오뿐만 아니라 이 세상에서 모든 혐오가 차츰 줄어들기를 바라며 이 자리를 마련해주신 교수님과 도움을 주신 모든 분들 그리고 함께한 조원들에게 감사를 전합니다.

不仅是对中国人的厌恶，希望在这个世界上所有的厌恶都逐渐减少，向准备这个场合的教授和给予帮助的所有人以及一起的成员们表示感谢。

최하늘 崔荷娜

저는 "미움은 꾸준할 수 없다"는 말을 좋아합니다. 누군가를 미워하는 일에도 체력이 필요하기 때문에, 결국은 '미움'에도 끝이 있을 수밖에 없다고 생각합니다. 여러분의 그 힘이 누군가를 미워하는 일보다는 세상을 사랑하고, 살펴보는 일에 쓰이기를 바랍니다.

我喜欢"一直讨厌是不可能的"这句话。因为讨厌某人也需要体力，所以我认为最终"讨厌"也有尽头。希望您的力量不是用来恨别人，而是用来爱世界、关注世界。

사회에는 우리가 보지 않는, 그리고 보이지 않는 차별이 많이 숨어 있습니다. 세상에 대한 애정으로 그런 혐오를 발견해주시길 바라며 이 책을 썼습니다.

社会上隐藏着很多我们不关心的、看不见的歧视。我写这本书是希望您能用对世界的热爱发现这种厌恶。

책의 시작에서 말씀드렸다시피 '차별에 반대하겠다'는 마음 하나면 충분합니다. 우리가 '하는' 차별은 곧 우리가 '당하는' 차별이 됩니다. 차별보다는 평등을, 혐오보다는 사랑을 먼저 생각하는 우리가 되길 소망합니다.

正如书的引言所说，只要有一颗"反对歧视"的心就足够了。如果我们歧视什么，那就变成我们"被"的歧视。比起歧视，请先考虑平等，比起厌恶，先考虑爱情。

번역을 도와주신 진묘 선생님, 표지 제작을 도와준 서정이, 함께 고생한 다희와 태민 님에게도 감사의 말씀 드리고 싶습니다. 여기까지 읽어주신 여러분께도 진심으로 감사합니다.

真心感谢读到这里的各位。

제가 좋아하는 이슬아 작가님의 말을 인용하며 마무리하겠습니다.

引用我喜欢的李瑟娥作家的话向大家问好。

"사랑과 용기를 담아", 최하늘 드림

寄寓着爱和勇气, 崔荷娜

참고문헌 参考文献

2 한국인은 중국인을 혐오한다? 韩国人讨厌中国人？

1. 『글로벌리서치 여론조사』, 국민일보, 2021.06.
2. 『중국에 대한 인상 여론조사』, EAI 동아시아연구원
3. 김민수, 김우현, 고재원, 『[코로나 시대 혐오] ② 확진자 폭증하자 미움도 덩달아 커졌다』, 동사이언스, 2020.11.29.

3 '반중' 그리고 '혐중', 어디서 시작되었는가 "反华, 厌华", 从何说起？

1. 『Unfavorable Views of China Reach Historic Highs in Many Countries』, Pew Research Center, 2020.10.06
2. 김정은, 『코로나19 이후 계속되는 아시아인 혐오…한국인 한국계 피해도』, 연합뉴스, 2020.06.24.
3. 서동민, 『델(DELL) "우리 노트북, 배그 핵 잘 돌아간다"논란』, GAMETOC 리뷰&분석, 2018.04.13
4. 류지영, 『한복·김치 이어 스키 기원도 中? … 문화 왜곡장으로 변질된 올림픽』, 서울신문, 2022.02.16.
5. 신윤재, 『"한국뿐이랴?" 전세계 부동산 잠식하는 '차이나머니'의 공습』, 매일경제, 2021.08.21.
6. 차학봉, 『"중국인 투기로 집값 뛴다"...캐나다, 외국인 취세 20% 높여』, 조선일보, 2021.02.22.

5 대한민국과 중화인민공화국 大韩民国和中华人民共和国

5-1 무역

1. Kiet 산업연구원, 『[중국의 대외교역과 한·중 간 무역]』, 2021.05.31.
2. UNCTADSTAT, 『중국의 수출과 수입 비중』, 2020.

5-2 관광
1. 『글로벌리서치 여론조사』, 국민일보, 2021.06
2. 『중국에 대한 인상 여론조사』, EAI 동아시아연구원
3. 이동률, 『[EAI 이슈 브리핑] '중국은 싫지만, 한중관계는 중요' 한국의 대중 정책 방향은?』, EAI 동아시아연구원, 2023.09.27.
4. 『한국·중국·일본, 세 나라 여객들의 인천공항 이용 형태, 나라별로 이렇게 달라!』, 인천국제공항공사, 2023.12.01.
5. 『2022 외국인 환자 유치실적 통계분석보고서』, 한국보건산업진흥원, 2023.06.29.
6. 박미주, 『"韓병원 찾는 중국인 늘어날 것"…의료관광 수혜 기대감↑』, 머니투데이, 2023.08.14.
7. 이승준, 『엔데믹에 의료관광 훈풍…행동은 '분주' 대비는 '부진'』, 이뉴스투데이, 2023.09.13.

'프로젝트'라는 단어가 그리 낯설지 않은 요즘. 여럿이 모여 몇 권의 '책'을 만들기로 했다. 일상 곳곳에서 맞닥뜨리는 지극히 익숙한 대상이지만, 줄곧 읽을 생각만 했지 정작 이를 만드는 일까지는 상상해 보지 못했던 터였다.

'가천'에서 '인문'으로 만난 이들. 처음부터 끝까지 기획, 집필, 편집, 디자인 모두 이들 손에 이루어졌다. 매년 이맘때면 이런 결과물이 앞자리 번호를 달고 하나둘 쌓이리라 기대한다. 시간을 거스르며 결국은 그 숫자들이 우리를 이어 줄 것이다.

짧지만 강렬했던 한 달이 지난 지금, 어느새 모두 책 한 권의 저자가 되었다. 첫 출판의 도전을 마치자마자 우리는 또 각자 새로운 이야기를 꿈꾼다. 그 출발을 함께할 수 있어 기쁘고 벅차다.

2020년 12월
'가천 인문 책 프로젝트'를 시작하며,
가천대학교 인문대학

'가천 인문 책 프로젝트' 시리즈

01 나도 모르게 먹히었다
- 김주민, 이하윤, 이예빈, 박용춘
02 스무 살은 무거워서 집에 두고 다녀요
- 백희원, 김창희, 한예지
03 배라도 든든하게, 글밥 한 끼.
- 김미경, 신성호, 정량량
04 쩝쩝박사
- 김준형, 이금라, 임세아, 한주희
05 가장 개인적인
- 김성일, 서윤희, 이노자예, 조윤희
06 의성이의 시끌벅적한 하루
- 김다영, 김연수, 손문옥, 임현중
07 밥통
- 허윤준, 이정선, 레 뚜안 안, 응웬 트렁키엔
08 성남에서의 가천-로그 (Gachon-log in Seongnam)
- 강진주, 구기언, 김목원, 김선우, 김솔, 노주영, 문준수, 문창환, 박도이, 백다은, 소힙존, 신기문, 신지수, 오영은, 윤상연, 윤우석, 이가연, 이승렬, 이영주, 이종희, 임동현, 정다현, 정주영, 정진미, 최선호, 치트러카준, 현재호, 정선주
09 서툴러도, 사랑해
- 권지은, 김은서, 김주영, 이하늘
10 전지적 도로시 시점
- 이윤선, 심보영, 이승유, 김가빈
11 카페인과 수면제 사이
- 김준호, 이윤수

12 비록 파라다이스는 아닐지라도
- 송윤서, 이예솜
13 커피 칸타타, 한낮에 꾸는 꿈
- 김유진, 신현기, 최수빈
14 늙은 왕자
- 양혜원, 조소빈, 차소윤, 최민영
15 추억 발자국
- 김가윤, 손수민, 이창규, 정다연
16 탈피
- 김선아
17 찾았다, 프랑스! - MZ세대가 바라보는 프랑스-한국
- 강다솜, 김유경, 안미르, 이유정
18 나의 길 2022
- 홍채린, 김수민, 이예원, 김연재, 김현수, 방극현, 이유선, 임영재, 이다원, 배효정, 정유나, 안소연, 오현택, 김민주, 권라혜, 장상구, 최민수, 김해진, 신정민, 최수인, 장미리, 조성은, 배지은, 임형준, 정슬아, 정지윤, 송인동, 최대원, 김유화, 이상현, 이상훈, 권사랑, 이은지, 임정식, 이만식
19 REALTY for REAL (진짜들을 위한 부동산) [가천대 영어교재 시리즈-01]
- 방극현, 최대원, 송인동, 임형준
20 팝송 가사 실전에 써먹기(Popping expressions in Pop songs) [가천대 영어교재 시리즈-02]
- 배효정, 권라혜, 신정민, 이다원, 임영재, 최수인, 정슬아
21 Dumbo와 함께 말해요 [가천대 영어교재 시리즈-03]
- 김민주, 권라혜, 안소연, 정유나

22 동화로 시작하는 영어공부 [가천대 영어교재 시리즈-04]
- 장미리, 권사랑, 배효정, 신정민, 이다원, 이유선, 조성은, 홍채린
23 별들의 놀이터(Playground of the Stars) [가천대 영어교재 시리즈-05]
- 송인동, 김민주, 김수민, 김연재, 김유화, 이예원, 정유나
24 전치사가 누구야? 대단한 품사지~ [가천대 영어교재 시리즈-06]
- 김현수, 배지은, 오현택, 이상훈, 임정식, 최민수
25 누구나 영어로 말할 수 있다 [가천대 영어교재 시리즈-07]
- 이은지, 정슬아, 최수인, 최민수, 장상구, 안소연, 권라혜, 오현택, 조성은, 정지윤
26 TRENDER: 젊음의 시각으로 시대를 읽다
- 강영흠, 김동환, 김시현, 김지윤, 이가현, 정준영
27 노선 밖의 이야기
- 김지수, 박소연, 이효진, 지은결, 천지영
28 나의 튜토리얼 회고록
- 오소영, 이미현, 이혜람, 정유리, 천성혁
29 각자의 새벽 속에서
- 강중현, 강태경, 김연유, 안주현, 황민지
30 3월 여름밤의 낙엽은 폭설이다
- 김민선, 김현정, 남궁설, 서민지
31 파도타기
- 김정현, 김혜정, 박경아, 양혜인
32 여기저기 써먹는 일상 한국어 (중국어ver)
- 권자연, 김현진, 조수경, 채예인, 황민서
33 마왕에게 꼭 필요한 조언 모음집
- 김동현